FUNDACION CAJA DE PENSIONES

JUSEPE DE RIBERA

JOSEF RIVERA:

Pintor excelente, conocido en toda Euro-
pa con el nombre del Españoleto. Nacio
en Xátiva, y murió en Nápoles por
los años de 1656. á los 67. de su edad.

Xara lo dibuxó   *M. Alegre lo grabo.*

Retrato de Ribera,
grabado por Manuel Alegre
sobre dibujo de José Maea.
Colección: Retratos de los
Españoles Ilustres (1789-1814).
Calcografía Nacional, Madrid.

JUSEPE DE RIBERA, GRABADOR

1591 - 1652

13 de enero - 12 de febrero 1989

SALA DE EXPOSICIONES DE LA
FUNDACIÓN CAJA DE PENSIONES
Correos, 3 - 46002 Valencia

23 de febrero - 28 de marzo 1989

CALCOGRAFÍA NACIONAL
REAL ACADEMIA DE BELLAS ARTES DE SAN FERNANDO
Alcalá, 13 - 28014 Madrid

Edita
FUNDACIÓN CAJA DE PENSIONES

PATRONATO

Presidente
JUAN ANTONIO SAMARANCH

Vice-presidente
JOSÉ VILARASAU SALAT

Vocales
GONZALO COLL VINENT
MARTA CORACHAN CUYÁS
JUAN JOSÉ CUESTA TORRES
MARGARITA FONT CRESPI
ARTURO FUSTER RIBAS
FRANCISCO GOMÁ MUSTÉ
FRANCISCO LLORENS MARTÍN
JUAN RIBERA MARINÉ
ABEL DEL RUSTE RIBERA
EDUARDO SORRIBAS SUBIRÁ

Secretario
RICARDO FORNESA RIBÓ

COMISIÓN EJECUTIVA

Presidente
JOSÉ VILARASAU SALAT

Vice-presidente
RICARDO FORNESA RIBÓ

Director
JUAN JOSÉ CUESTA TORRES

Directora de exposiciones
MARÍA CORRAL

EXPOSICIÓN

Comisario
JONATHAN BROWN

Coordinación general y dirección de montaje
JUAN CARRETE, Real Academia de Bellas Artes de San Fernando, Madrid
PABLO RAMÍREZ, Fundación Caja de Pensiones, Valencia

Transporte
TORTELLA INTERNATIONAL, A. A.

Seguros
GIL Y CARVAJAL DE LEVANTE, S. A.

CATÁLOGO

Diseño y dirección
D. S. *diseño:* GERARDO DELGADO

Traducción
ESTRELLA DE DIEGO

Fotomecánica
DIA, Madrid

Fotocomposición e impresión
JULIO SOTO, Impresor, S. A.
Avda. de la Constitución, 202, Torrejón de Ardoz, Madrid

Encuadernación
RAMOS, S. A.

© FUNDACIÓN CAJA DE PENSIONES, 1989
1.ª edición

I.S.B.N.: 84-7664-196-6
D. L.: M-44550-1988

Exposición organizada por la
FUNDACIÓN CAJA DE PENSIONES
en colaboración con la
REAL ACADEMIA DE BELLAS ARTES DE SAN FERNANDO

La Fundación Caja de Pensiones y la Calcografía Nacional
de Madrid agradecen la colaboración de las siguientes personas
y entidades:

Alte Pinakothek, Munich
Art Gallery of Ontario, Toronto
Ashmolean Museum, Oxford
Biblioteca Nacional, Madrid
Bibliothèque Nationale, París
Evelina Borea, Roma
José Antonio Buces, Madrid
British Museum, Londres
Cabildo de la Catedral, Sevilla
Colegiata, Osuna (Sevilla)
Michele Cordaro, Roma
Cristóbal Cordero, Ecija (Sevilla)
Antonio Correa, Madrid
Estrella de Diego, Madrid
Fundación Lázaro Galdiano, Madrid
Juan Pablo Fusi Aizpurúa, Madrid
Galleria degli Uffizi, Florencia
Enriqueta Harris Frankfort, Londres
Concha Herrero, Madrid
Hispanic Society of America, Nueva York
Carlos Ibáñez, Madrid
Istituto Nazionale per la Grafica, Roma
Louis Jambou, Madrid
María José Jerez Amador de los Ríos, Madrid
Kunsthistorisches Museum, Viena
Emmanuel Le Roy Ladurie, París
Metropolitan Museum of Art, Nueva York
Consolación Morales, Madrid
Margari Moreno, Madrid
Musée Condé, Chantilly
Musée du Louvre, París
Museo del Prado, Madrid
Museo Nazionale di Capodimonte, Nápoles
Museo Provincial de Bellas Artes, Málaga
Museum Boymans-van Beuningen, Rotterdam
J. W. Niemeijer, Amsterdam
Didier Ozanam, Madrid
Palazzo Pitti, Florencia
Enrique Pardo Canalís, Madrid
Patrimonio Nacional, Madrid
Philadelphia Museum of Art, Filadelfia
Florence Ple, París
Andrée Pouderoux, París
Preussischer Kulturbesitz, Kupferstichkabinett, Berlín
John Rowlands, Londres
Royal Museum of Fine Arts, Copenhague
Elena Santiago, Madrid
Werner Schade, Berlín
María Teresa Simarro Martínez, Madrid
The National Gallery, Londres
Jesusa Vega, Madrid

ÍNDICE

Given its commitment to the work of major Valencian painters —initiated two years ago with an exhibition of the engraver Rafael Esteve— the Fundación Caja de Pensiones takes great pleasure in presenting in Valencia, and for the first time in Spain, an exhibition of the Jusepe de Ribera's prints (Xàtiva 1591-Naples 1652).

The recognition of Ribera's work as a painter and draftsman contrasts surprisingly with his work as a print-maker which is much lesser known. The explanation of this lies, perhaps, on his ephemeral and sparse dedication to this medium. However, despite having dedicated practically a decade of his life to etching and having completed only eighteen plates, Ribera is considered by the specialists to be the most remarkable Spanish print-maker before Goya, with an enormous capacity for experimentation and innovation. He discovered new possibilities for immediacy and spontaneity in etching whose power has been retained for a long time.

Ribera was not a prolific print-maker, since before being an enthusiastic etcher he was —according to Jonathan Brown— «a painter-draftsman who approached a new medium more out of curiosity than love and once having satisfied his curiosity he almost stopped making prints, but not before he had created a halfdozen masterpieces of etching and opened the eyes of other artists to its possibilities».

Ribera's prints are, therefore, those of an artist who practised such a technique with the aim of dominating it and putting it to the exclusive service of his creativity. Due to his work as a print-maker Ribera became very popular and his work gained a enormous diffusion that was unusual for the engravers and painters of his time.

The exhibition presents forty prints —among which there are final versions and different states of the same plate— that constitute the totality of Jusepe de Ribera's known printed work, proceeding from the Biblioteca Nacional, Madrid; the Bibliothèque Nationale, Paris; the Fundación Lázaro Galdiano, Madrid; Istituto Nazionale per la Grafica, Rome; and from various private collectors in Madrid, London and New York.

The Fundación Caja de Pensiones is pleased to present this exhibition, curated by Prof. Jonathan Brown and organized in collaboration with the Real Academia de Bellas Artes de San Fernando, Calcografía Nacional, who will also be showing this exhibition in his own space. We would both like to thank the generosity of those institutions and private collectors that have agreed to lend their works with the aim of contributing to a better knowledge and understanding of the prints of Jusepe de Ribera.

Prosiguiendo su labor de difusión de la obra de los artistas valencianos más significativos, y en la línea abierta, hace dos años, con la exposición dedicada al grabador Rafael Esteve, la Fundación Caja de Pensiones presenta ahora por primera vez en España, en su Sala de Exposiciones de Valencia, una muestra dedicada a la obra grabada de Jusepe de Ribera (Xàtiva, 1591-Nápoles, 1652).

El reconocimiento y la difusión de la obra de Ribera como pintor y dibujante, contrastan sorprendentemente con el carácter menos conocido de su producción como grabador, contribuyendo, tal vez, a ello su efímera y escasa dedicación al medio. Sin embargo, a pesar de haber dedicado prácticamente una década de su vida al grabado, y de haber realizado apenas dieciocho estampas, Ribera es considerado por los especialistas como el más importante grabador español anterior a Goya, atribuyéndosele una capacidad de experimentación y de innovación que fue suficiente para dotar al grabado al aguafuerte de una instantaneidad y espontaneidad que permanecieron vigentes durante mucho tiempo.

Ribera no se prodigó en el grabado, porque antes que un grabador entusiasta, fue —según J. Brown— un pintor-dibujante que se acercó a un medio diferente más por curiosidad que por pasión, y «después de satisfacer su curiosidad dejó de hacer estampas casi por completo, no sin antes haber realizado media docena de obras maestras grabadas al aguafuerte y haber abierto los ojos de otros artistas sobre las posibilidades del mismo».

La obra grabada de Ribera es, por tanto, la de un artista que ensayó esta técnica con el fin de dominarla y ponerla al exclusivo servicio de su creatividad. Gracias a la utilización del grabado, el arte de Ribera consiguió una difusión y popularidad inusitada entre los grabadores y pintores de su tiempo.

La exposición que ahora se puede visitar en la Sala de Exposiciones de la Fundación Caja de Pensiones de Valencia, y que se exhibirá posteriormente en Madrid, en las salas de la Calcografía Nacional en la Real Academia de Bellas Artes de San Fernando, presenta cuarenta estampas —entre obras definitivas y diversas pruebas de estado—, que constituyen la totalidad de la obra grabada conocida de Jusepe de Ribera, procedentes de la Biblioteca Nacional de Madrid, la Bibliothèque Nationale de París, el Palacio Real, la Fundación Lázaro Galdiano, el Istituto Nazionale per la Grafica de Roma, y de diversas colecciones particulares de Madrid, Londres y Nueva York.

La Fundación Caja de Pensiones se complace en presentar esta exposición y su catálogo, preparados por el profesor Jonathan Brown, con la colaboración técnica de la Calcografía Nacional de la Real Academia de San Fernando, a quienes, junto con las instituciones y los particulares que han accedido al préstamo de sus obras, desea agradecer el interés mostrado en el mejor conocimiento y la mayor difusión de la obra grabada de Jusepe de Ribera.

FUNDACIÓN CAJA DE PENSIONES
Enero, 1989

PREFACE

By common consent, Jusepe de Ribera is the greatest Spanish printmaker before Goya. Although the corpus of his prints is small, numbering only eighteen, it includes some of the most compelling and accomplished works of the entire seventeenth century.

Ribera's status as a Spanish printmaker is clouded by the same doubts that surround the question of his nationality as a painter. Although born in Játiva (Valencia), Ribera spent most of his life in Italy, settling in Naples in 1616 when he was twenty-five years old, and remaining there until his death in 1652, at the age of sixty-one.

In purely stylistic terms, it is evident that Ribera belongs more to the Italian than to the Spanish school. He was the most distinguished follower of Caravaggio in Italy and the dominant influence on Neapolitan painting in the middle third of the seventeenth century. Yet the question of his nationality, which is probably of greater concern to our time than it was to his, is complicated by the fact that he was born and remained a subject of the king of Spain and further by the fact that his principal clients were the Spanish viceroys of Naples. The artist himself seems to have had a particularly strong awareness not only of his Spanish but also his Valencian origins. On many of his paintings and several of his prints (cat. nos. 8, 9, 11, 12 and 14), he identified himself as Spaniard after his signature. And from time to time (cat. no. 14), he took the trouble to remind the viewer of his Valencian birth.

Detail p. 12

Ribera's insistent mention of his *patria* and *patria chica* is probably to be explained by the importance of his Spanish clientele. People from the same place tend to seek support from one another when living in a foreign land. In Ribera's case, the viceroys, who were high-ranking noblemen and ecclesiastics, were not only fellow-Spaniards but also the most important patrons of art in the kingdom of Naples. Yet by seeking their favor, Ribera also had to please their artistic taste and express their secular ambitions and religious aspirations. Thus, what might have begun as a way to ingratiate himself with this sector of patronage inevitably influenced his art. The result is that unique and affecting hybrid that is the art of Jusepe de Ribera, «Hisp⁵, Valen⁵, Setaben».

The study of Ribera's prints that follows this preface is based on the catalogue I published in 1973 in connection with an exhibition of the artist's prints and drawings held at The Art Museum, Princeton University, and the Fogg Art Museum, Harvard University. The catalogue was published in a small edition and went quickly out-of-print. Although I was able to return to the subject in 1982, in a short essay for the catalogue of an exhibition of Ribera's paintings (Kimbell Art Museum, Fort Worth), I am pleased to be invited to revise the complete 1973 edition in connection with the current exhibition, especially because the first edition did not circulate widely in Spain or other parts of Europe. It is also a particular satisfaction to help bring the prints of Ribera before the eyes of his fellow countrymen, with whom he so proudly identified in preparing this edition of the catalogue, I have taken the opportunity to add some new material and to correct such old errors as I could detect.

Finally, I wish to express my gratitude to Juan Carrete Parrondo, who proposed the idea of the exhibition and worked tirelessly to make it a reality; to Estrella de Diego who translated the text and helped with the coordination between New York and Madrid; to María Corral, for her continued interest in the project; last but no least to the Fundación Caja de Pensiones for organizing the exhibition —which will be opened first at their showrooms in Valencia and then in Madrid, at the Real Academia de Bellas Artes de San Fernando— and the new edition of the catalogue.

JONATHAN BROWN
New York, November 1988

Nadie pone en tela de juicio que Jusepe de Ribera es el mayor grabador español anterior a Goya, pues si bien el *corpus* de sus estampas es reducido —tan sólo dieciocho en total— éste incluye algunas de las obras más logradas y vigorosas de todo el siglo XVII.

La figura del Ribera grabador español está oscurecida por las mismas dudas que se plantean en torno a la nacionalidad del pintor. A pesar de haber nacido en Játiva (Valencia), Ribera pasó la mayor parte de su vida en Italia, estableciéndose en Nápoles en 1616, con veinticinco años, y permaneciendo allí hasta su muerte en 1652, a la edad de sesenta y un años.

Desde el punto de vista puramente estilístico, es evidente que Ribera pertenece más a la escuela italiana que a la española, siendo como era uno de los más distinguidos seguidores de Caravaggio en Italia y dada la influencia que ejerció sobre él la pintura napolitana del segundo tercio del siglo XVII. Aun así, el problema de su nacionalidad, que tal vez es más importante en nuestros días de lo que fuera en su momento, se complica por el hecho de haber nacido súbdito de la Corona española y haber permanecido siempre como tal y, más aún si tenemos en cuenta que sus principales clientes eran los virreyes de España en Nápoles. El mismo artista parecía ser muy consciente no sólo de su nacionalidad sino de sus orígenes valencianos. En muchas de sus pinturas y en algunas de sus estampas (Cat. núms. 8, 9, 11, 12 y 14) se autodenominaba español a continuación de su firma y, de cuando en cuando (Cat. núm. 14), se tomaba la molestia de recordar al espectador su origen valenciano.

La insistencia de Ribera en mencionar su *patria* y su *patria chica* se podría explicar, tal vez, en base a la importancia de su clientela española. Las personas de un mismo país tienden a ayudarse cuando viven en el extranjero, pero en el caso de Ribera los virreyes, nobles y clérigos del más alto rango, no eran sólo españoles como él sino los mecenas más importantes del Reino de Nápoles. Sin embargo, para obtener su apoyo Ri-

bera también tenía que complacerles en su gusto artístico y expresar sus ambiciones seculares y sus aspiraciones religiosas y así, lo que había empezado como una forma de congraciarse con este sector de los mecenas acabaría por influir inevitablemente en su arte. El resultado es ese arte único y conmovedor de Jusepe de Ribera, «Hispanus, Valentinus, Setabensis».

Este estudio está basado en el catálogo de estampas de Ribera publicado en 1973 con ocasión de la exposición en el Art Museum de la Universidad de Princeton y el Fogg Art Museum de la Universidad de Harvard. La tirada del catálogo fue corta y no tardó en agotarse. A pesar de haber tenido ocasión de volver a tratar el tema en 1982, en un breve ensayo para el catálogo de la exposición de las pinturas de Ribera (Kimbell Art Museum, Fort Worth), me complace haber sido invitado a revisar la edición completa de 1973 con motivo de la presente muestra, especialmente porque la primera edición no tuvo excesiva circulación en España y otras partes de Europa. Me siento particularmente satisfecho de contribuir al esfuerzo de mostrar las estampas de Ribera a sus compatriotas con los que tan orgullosamente se identificaba, al tiempo que esta revisión me ha brindado la oportunidad de añadir nuevo material y de corregir los errores que hoy pueden subsanarse.

Por último, quisiera expresar mi agradecimiento a Juan Carrete Parrondo, de quien partió la idea de esta exposición, por su trabajo incansable para hacerla realidad; a Estrella de Diego, traductora del catálogo, por su ayuda en la coordinación entre Nueva York y Madrid; a María Corral por su continuado interés en el proyecto; y muy especialmente a la Fundación Caja de Pensiones, por la organización de esta exposición —que se inaugura en sus Salas de Valencia y que posteriormente se presenta en Madrid, en la Real Academia de Bellas Artes de San Fernando— y por la nueva edición del catálogo.

JONATHAN BROWN
Nueva York, Noviembre 1988

Joseph. a' Ribera Hisp. Val
Setaben J. Partenope
1628

LAS ESTAMPAS DE RIBERA

Jonathan Brown

The Prints of Ribera

THE PRINTS OF RIBERA (*)

Jusepe de Ribera was not a prolific printmaker; only eighteen prints can with certainty be attributed to him. But the small size of his oeuvre belies its quality and importance. Ribera's achievement as a printmaker requires no special pleading, because students of the medium have long admired his work. To Adam Bartsch, Ribera's prints were «generally counted among the most remarkable productions in etching». Another great connoisseur, Paul Kristeller, described Ribera's technique as «entirely original» and placed him among the first rank of printmakers. And A. M. Hind paired Ribera with Salvator Rosa as the most «individually interesting etchers in Italy during the seventeenth century»[1]. The appreciation of Ribera as printmaker was facilitated by the ease with which his prints could be identified: Nine prints are signed, seven with dates, and of the remaining nine all but four can be readily attributed by reference to other prints or, in some cases, to documents or paintings. Hence in 1820 Bartsch was able to write a summary yet nearly definitive catalogue of eighteen prints, only one of which now seems out of place. From Bartsch's day to this, no additional prints have been proposed to the oeuvre. (However, in the catalogue raisonné that accompanies this essay one minor print, no. 2, is offered as a companion to the ones identified by Bartsch). It cannot be claimed, therefore, that Ribera's prints are either unknown or undervalued, at least by students of the medium. However, print connoisseurs, owing to the nature of their interests, have concentrated on description and classification, leaving a range of historical questions unasked. By exploring these questions now within the context of a close definition of Ribera's evolution as etcher, the importance of Ribera's graphic oeuvre, both for himself and others, can be better understood.

(*) Originally published as *Jusepe de Ribera: Prints and Drawings* by The Art Museum, Princeton University

(*) LAS ESTAMPAS DE RIBERA

JONATHAN BROWN

Jusepe de Ribera no fue un grabador prolífico. Sólo se le pueden atribuir con certeza dieciocho estampas, si bien la escasa obra ofrece una imagen equivocada de su calidad e importancia. Los logros de Ribera como grabador no necesitan una ulterior defensa, ya que los estudiosos del medio han aprendido a admirar su obra desde hace mucho tiempo. Para Adam Bartsch las estampas de Ribera «eran generalmente aceptadas entre las obras más importantes dentro de la producción del grabado al aguafuerte». Otro gran experto, Paul Kristeller, describía la técnica de Ribera como «enteramente original» y le situaba entre los grabadores de primera línea, mientras A. M. Hind consideraba a Ribera, junto a Salvator Rosa, como «el grabador más interesante y original en la Italia del siglo XVII»[1]. La valoración de Ribera como grabador se ha visto facilitada por la seguridad con que se pueden identificar sus estampas, puesto que nueve de ellas están firmadas, en siete aparece la fecha y cinco de las nueve restantes se pueden atribuir sin mayor problema haciendo referencia a otras estampas o, en algunos casos, a documentos o pinturas. De este modo en 1820 Bartsch podía elaborar un catálogo sucinto, aunque casi definitivo, de dieciocho estampas, de las cuales hoy en día sólo una parece fuera de lugar. Desde los tiempos de Bartsch hasta el momento actual no se han añadido nuevas estampas a la obra (de todos modos, en el catálogo comentado, una estampa menor, la número 2, se presenta como compañera de las identificadas por Bartsch). No se puede decir, por tanto, que las estampas de Ribera sean desconocidas o subestimadas, al menos entre los estudiosos del medio. Aun así, los expertos en grabado, y debido a la naturaleza de sus intereses, se han concentrado en la descripción y catalogación dejando un buen número de cuestiones históricas incontestadas. A través de la investigación de esas cuestiones, centrándose en una definición más precisa de la evolución de Ribera como grabador, en la importancia de la obra gráfica del artista dentro de su producción, y en la de otros artistas coetáneos podrá comprenderse mejor.

(*) Originalmente publicado como *Jusepe de Ribera: Prints and Drawings* por The Art Museum, Princeton University
© 1973 The Trustees of Princeton University

I. RIBERA'S DEVELOPMENT AS A PRINTMAKER: TECHNIQUES AND CHRONOLOGY

Ribera's interest in printmaking was largely confined to the 1620s. During this decade, he made the lion's share of his prints—in fact, only two were done after 1628. There is no certain explanation of why Ribera concentrated his printmaking within this eight-year span. One can only guess, as the small number of prints seems to confirm, that he regarded the medium as a passing fancy. And once having explored it to his satisfaction, he lost interest and thereafter made etchings only on commission. This supposition is corroborated by the fact that Ribera does not seem to have had the love of craft that has motivated and fascinated many of the greatest printmakers. He was in some respects a rather careless technician; for instance, several prints are scored with light, random scratches, as if the plates had been negligently handled. In addition, there is little evidence of the process of trial-and-error that contributes to the fascination of Rembrandt's prints. Although counterproofs were occasionally taken, the revisions and corrections that can occur to the print, with one exception (Cat. no. 13), never materialized. States of Ribera's prints usually involve added inscriptions or reworking of the plates by later artists. Other possibilities for variety and enrichment of the print held little attraction for Ribera. He was primarily an etcher, although like many etchers he did use the burin, or occasionally drypoint, as an expedient way to add or intensify shadows. His choice of paper and ink is likewise unexceptional, except for a marked preference for gray-toned papers. Once he had conceived an idea for a print, Ribera was content to rely on his powers of invention and his ability as a draftsman to carry the day. By using the flexible medium of etching, he was able to achieve marvelous effects of light and tone that are the glory of his technical achievement in prints. The only interest he took in printing was aroused by the possibilities of enriching the tonal values by wiping the plate. In the best impressions of his prints, Ribera sometimes allowed a thin film of ink to remain on various parts of the plate. The resultant middle tones heightened the chromatic possibilities of etching by muting the contrast between figure and ground. Otherwise Ribera was a typical painter-etcher who assigned priority to cutting the plate and not to printing it. Yet his conservative approach to the craft must not be mistaken for nonchalance or indifference towards the medium. Ribera was the first to realize the potential of etching as a pictorial graphic art, capable of reproducing the rich effects of light, shadow and texture inherent in painting.

Ribera's first essays as an etcher have often been identified with two large prints signed with his monogram and dated 1621— the *Penitence of Saint Peter* (Cat. no. 6) and the first version of *Saint Jerome Hearing the Trumpet of the Last Judgment* (hereafter called *Saint Jerome and the Trumpet,* Cat. no. 4). There are, however, two prints that, on account of their small size and tentative technique, seem to mark the real beginning of Ribera's printmaking career. One is *Saint Sebastian* (Cat. no. 1), identified by Bartsch; the other, *Saint Bernardino of Siena* (Cat. no. 2), a hitherto unpublished print that exists apparently only in the Bibliothèque Nationale, Paris. The nearly identical size of these two prints (ca. 89 x 70 mm.) suggests that they may have been conceived at the same time. The small size is also consistent with the modest challenge that a novice printmaker would set himself as he began to test the medium. In these prints, Ribera, like many a beginner, approached etching as a draftsman, not as printmaker, and it is for this reason that these works are more easily related to his drawing style than to later prints. A drawing of *Saint Sebastian*

I. DESARROLLO DE RIBERA COMO GRABADOR. TECNICA Y CRONOLOGIA

El interés de Ribera por el grabado puede circunscribirse, casi completamente, a los años veinte del siglo XVII, habiendo sido realizada durante este período la mayor parte de sus estampas, pues de hecho sólo dos de ellas son posteriores al 1628. No existe ninguna explicación verosímil que justifique por qué Ribera concentró su actividad de grabador durante este intervalo de ocho años y la única conjetura posible, confirmada por el reducido número de estampas, es que consideraba esa técnica como un pasatiempo agradable y después de haberla investigado lo suficiente perdía interés por ella y realizaba estampas sólo por encargo. Esta suposición está corroborada por el hecho que el artista no parecía sentir esa pasión hacia el oficio que había motivado y fascinado a muchos de los más importantes grabadores. En cierto sentido, Ribera era descuidado, técnicamente hablando, descuido que se pone de manifiesto en numerosas estampas rayadas con finos arañazos accidentales como si se hubieran tratado las láminas de cobre sin excesiva atención. A esto habría que sumar la escasez de pruebas de estado que tanto contribuyen a la fascinación de las estampas de Rembrandt ya que, si bien en ocasiones se hacían contrapuebas, las revisiones y correcciones que podían realizarse en el cobre nunca se materializaban, excepto en un caso (Cat. núm. 13). Los diversos estados de las estampas de Ribera generalmente consisten en inscripciones añadidas, o en el retallado realizado por artistas posteriores. Las otras posibilidades de variación o enriquecimiento de la estampa tenían poco atractivo para Ribera, que era, esencialmente, un grabador al aguafuerte, si bien, al igual que otros muchos grabadores al aguafuerte, utilizaba el buril y, ocasionalmente, la punta seca, como una manera conveniente de añadir sombras o intensificarlas. Del mismo modo su uso del papel y de la tinta tampoco es excepcional, exceptuando la marcada preferencia por papeles de tonos grisáceos. Una vez concebida la idea de una estampa, Ribera se daba por satisfecho confiando en su imaginación y su habilidad como dibujante para llevarla a cabo y con la utilización de la flexible técnica del aguafuerte era capaz de alcanzar maravillosos efectos de luz y tonalidad que son el orgullo de sus logros técnicos en las estampas. Su único interés en la estampación como técnica era la posibilidad de enriquecer la calidad tonal limpiando la lámina de cobre; en las mejores estampaciones, Ribera dejaba a veces una fina película de tinta sobre algunas zonas de la lámina y los tonos medios resultantes enriquecían las posibilidades cromáticas del aguafuerte, apagando el contraste entre figura y fondo. Dejando a un lado estos detalles, Ribera era el típico pintor-aguafortista que daba prioridad a las tallas de la lámina y no a la estampación, aunque su acercamiento conservador al oficio no debe ser interpretado como impasibilidad o indiferencia ante el mismo: Ribera fue el primero en ver las posibilidades del aguafuerte como un arte gráfico con calidad pictórica capaz de reproducir los exquisitos efectos de luces, sombras y textura inherentes a la pintura.

Los primeros ensayos de Ribera como aguafortista se han identificado a menudo con dos grandes estampas firmadas con su monograma y fechadas en 1621: *Las lágrimas de san Pedro* (Cat. núm. 6) y la versión de *San Jerónimo escucha la trompeta del Juicio Final,* llamada luego *San Jerónimo y la trompeta* (Cat. núm. 4). No obstante, hay dos estampas que por su tamaño reducido y por su experimentación técnica parecen marcar el comienzo real de la carrera de Ribera como grabador: una es *San Sebastián* (Cat. núm. 1), identificada por Bartsch, y la otra *San Bernardino de Siena* (Cat. núm. 2), sin publicar hasta la primera edición de este catálogo y que, aparentemente, sólo se encuentra en la Biblioteca Nacional de París. El tamaño casi idéntico de las dos estampas (89 x 70 mm. aprox.) sugiere que tal vez fueron concebidas al mismo tiempo, coincidiendo ese tamaño reducido también con el modesto reto que podía plantearse un grabador en sus inicios. En estas estampas Ribera, al igual que muchos principiantes, se acercaba al aguafuerte como dibujante, no como grabador, y por ese motivo estas obras se pueden relacionar con

done around 1620 in the Ashmolean Museum (fig. 1) shows how Ribera transposed his style of drawing from pen and paper to needle and plate. The concern with effects of light and shadow that dominates the two prints of 1621 is absent here. Instead of using dense crosshatching, Ribera modeled the contours of the body with the short, parallel strokes of his drawing technique. The careful use of stippling to produce intermediate tones is nowhere to be found, and the careless treatment of the tree and sky is even more perfunctory than in *Saint Jerome and the Trumpet. Saint Bernardino* also conforms to a type that is frequently encountered in Ribera's numerous sketches of old men. The dome-shaped head, the outsized hand and fingers, and the set, solemn expression are common elements in his treatment of his subject. Technically, the print is almost as diffident as *Saint Sebastian.* However, one noticeable advance is the increased use of crosshatching that appears on the back of the head and inner bridge of the nose. But, whereas in the 1621 prints a great deal of attention has been paid to achieving complete effects of shadow, here large areas have been virtually untouched.

The date of these prints, and hence of Ribera's first interest in printmaking, is not certain, although ca. 1620 seems reasonable, if only because he made nine more prints in the next two years[2]. In fact, by around 1622-1623 Ribera had produced about three-quarters of his total oeuvre. This high rate of production is consistent with the energy devoted to pursuing and perfecting a new interest. By the end of this period, Ribera had developed a personal and highly accomplished style of etching.

In the prints executed in about 1621, Ribera began to experiment with a larger format and a more complicated technique. The elements of the style were first essayed in *Saint Jerome and the Trumpet,* signed and dated 1621 (Cat. no. 4).

In fact, all the characteristics of his developed style appear in this work, but without the discipline and subtlety that he later commanded. The essential and obvious difference is found in the ambitious attempt to enrich the effects of light and shadow. Dark areas have been created by tight crosshatching around the legs, the left arm, and the right side of the body. A range of intermediate tones is represented in a number of ways. On the left shoulder and left side of the face a series of parallel strokes has been laid over the lines that define those parts of the body. The modeling of the saint's torso is carried out by making dark lines stand out against light, thin lines, notably in the few hairs that grow on the chest. In this print, Ribera first used drypoint; a few short strokes have been employed as an easy way to darken shadow (i.e., below the saint's right hand and in the triangle formed at the left side of his chest). Finally, there are numerous short flicks of the needle, almost a stipple technique, that dot the body and soften the contrast between white and dark areas. These various techniques, when coupled with Ribera's style of drawing, bring the print to life. Their success is especially evident in the legs, where the contrast between light and shadow is skillfully managed by juxtaposing a tight network of cross-hatched lines to the lines and flicks.

The treatment of the area surrounding the figure is less assured. Like many beginning printmakers, Ribera had not yet learned how to use expanses of empty paper in a positive way. Thus, there are lines everywhere, so many lines and so carelessly placed that they flatten the illusion of volume rather than create it. Just to the right of the figure Ribera wanted to show a small boulder or rocky outcrop, and tried a variety of linear combinations to do it. But none of them really works, so that the area can almost be read as concave, not convex. Another problem occurs in the large rock immediately behind

1 RIBERA: *San Sebastián.* Oxford, Ashmolean Museum

Detail p. 13

su estilo pictórico más claramente que las últimas estampas. Un dibujo de *San Sebastián* realizado hacia 1620 y conservado en el Ashmolean Museum (fig. 1) permite observar cómo Ribera transfería su estilo como dibujante de la pluma y el papel a la punta y al cobre. Está ausente la preocupación por conseguir los efectos de claro-oscuro que domina en las dos estampas de 1621. En lugar de utilizar líneas entrecruzadas apretadas, Ribera moldeaba los contornos del cuerpo con esos trazos cortos y paralelos que caracterizan sus dibujos. La utilización cuidadosa del punteado para producir los tonos intermedios no aparece aquí y el tratamiento descuidado del árbol y el cielo es incluso más mecánico que en *San Jerónimo y la trompeta. San Bernardino* se ajusta, además, a un tipo que encontramos a menudo en los numerosos bocetos de viejos que realiza Ribera: la cabeza redondeada, la mano y los dedos desproporcionados y la expresión fija y solemne son elementos comunes en el tratamiento de este tema. Técnicamente la estampa es tan insegura como el *San Sebastián,* si bien un avance claro es el mayor uso de líneas entrecruzadas que aparece en la parte posterior de la cabeza y en la parte posterior del caballete de la nariz. Sin embargo, mientras en la estampa de 1621 se había concentrado la mayor parte de la atención en realizar un sombreado convincente, aquí las grandes extensiones aparecen casi intactas.

La fecha de estas estampas, y por lo tanto del momento en que Ribera empieza a interesarse por el grabado, no se conoce con seguridad, si bien parece razonable pensar que fue hacia 1620, aunque sólo sea porque realizó nueve estampas más a lo largo de los dos años siguientes[2]; de hecho, hacia 1622-23 Ribera había ejecutado unas tres cuartas partes del total de su obra, siendo este alto nivel de productividad coherente con la energía dedicada al ejercicio y perfeccionamiento de una nueva actividad. Al final de este período Ribera había desarrollado en el aguafuerte un estilo personal muy conseguido.

En las tres estampas realizadas en 1621, o en una fecha aproximada, Ribera empezó a experimentar con un tipo de formato mayor y una técnica más compleja. Los elementos de este estilo fueron puestos en práctica por primera vez en *San Jerónimo y la trompeta,* firmada y fechada en 1621 (Cat. núm. 4). Todas las características del estilo desarrollado aparecen en esta estampa, aunque sin la disciplina y la sutileza que alcanzaría más tarde. La diferencia obvia y fundamental se encuentra en el ambicioso intento de enriquecer los efectos de claro-oscuro. Las zonas oscuras se han creado a través de líneas entrecruzadas compactas, alrededor de las piernas, el brazo izquierdo y la parte derecha del cuerpo y los tonos intermedios están representados por muchas fórmulas diferentes: en el hombro izquierdo y la parte izquierda de la cara se han realizado una serie de trazos paralelos sobre las líneas que definen esas partes del cuerpo, mientras el modelado del torso del santo se ha conseguido a través de unas líneas oscuras que resaltan sobre las líneas finas y superficiales, sobre todo en el escaso vello que aparece en el pecho. En esta estampa Ribera utilizó esencialmente la punta seca valiéndose de una serie de trazos cortos como el método más sencillo para oscurecer las sombras (tal es el caso de la mano derecha del santo y del triángulo formado en la parte izquierda del pecho). Aparece, además, un buen número de marcas de la punta —casi una técnica de punteado— que salpicadas por el cuerpo suavizan el contraste entre las zonas blancas y las oscuras. Las técnicas mencionadas, unidas al vigoroso estilo de Ribera como dibujante, dan vida a la estampa. El éxito se patentiza, sin lugar a dudas, en las piernas, donde el contraste de claro-oscuro se lleva a cabo hábilmente a través de la yuxtaposición de una retícula apretada de líneas entrecruzadas con las líneas breves y los puntos. El tratamiento de la zona que rodea a la figura no muestra tanta seguridad. Al igual que muchos grabadores principiantes, Ribera no había aprendido aún a utilizar las grandes superficies de papel vacías de forma convincente, por lo que aparecen líneas en todas partes, tantas, y colocadas de manera tan aleatoria, que destruyen la sensación de volumen en lugar de crearla. Justamente a la derecha de la figura Ribera quería colo-

Det. p. 13

Saint Jerome. A series of slanting lines, some of them looped, fails to define either the shape or the mass of the rock. They seem to lie flat on the paper, their purpose having been thwarted. The junction between the trumpet and the rock is also poorly defined, and the effect of heavenly clouds obscuring the rock surfaces is lost. In another part of the print, there is a too-sudden transition between the shadow from the saint's right leg and the rock that serves as a writing table. Finally, the print, even in the earliest impressions, bears a number of unusual accidental marks. The most prominent are two long, parallel lines that run a slanting course from the top right corner through the right leg. A shorter line begins in the left center and continues through the left arm, and a short line, with a forked tail, appears at the upper right border-line. The origin of these marks is a mystery; drops of acid that ran down the plate is one possibility, but except for the forked line the marks are too long to fit that hypothesis. However, the combination of this fault with the technical problems may have persuaded Ribera to repeat the theme in his next etching.

An unsigned, undated print can be associated with *Saint Jerome and the Trumpet*. This is the *Lamentation* (Cat. no. 17), which, because it is technically less advanced, may have preceded *Saint Jerome*[3]. Except for the limited use of stippling on Christ's body, the artist has used fairly wide, crosshatched strokes to create the darker areas, and used them rather carelessly in places, notably in the shadow between the Virgin Mary and Saint John, which is further confused by the lines running parallel to Christ's Body. Once again, the sky is treated in a summary way and is delineated by parallel lines that flatten the entire area. These infelicitous passages have distracted some writers, myself included, from recognizing the points of contact between this and Ribera's earlier prints, as well as the moving but restrained representation of emotion which is characteristic of the artist. Also attributable to 1621 is the second version of *Saint Jerome Hearing the Trumpet of the Last Judgment* (Cat. no. 5). This repetition of a subject is unique among Ribera's prints, and one is tempted to interpret it as an effort to overcome the obvious shortcomings of the first version[4]. One minor but revealing change is found in the monogram, which is integrated into the perspective of the composition. The other attempts at improvement are more important. In the first place, Ribera did not limit his revision to technical procedures but rather took the opportunity to improve the composition as well.

Essentially he increased the drama of the encounter by substituting a full-sized angel for the pair of hands that diffidently poke a trumpet through the clouds. As a result, the miracle becomes a stunning event rather than a mild intrusion, and the startled Saint Jerome throws up a hand and draws his body back in fear and surprise. The new conception of the scene effectively minimizes the confusion of lines in the background. Although they are hardly different from the ones in the first version, they benefit from the more effective dramatic context and could almost have been set in motion, like ripples on a pond, by the force of the angel's entrance upon the scene. But closer scrutiny reveals their weakly defined structure and position. As the lines swim over the surface, they destroy the appearance of solidity, and once Detail p. 97 again the smaller stones on the right are submerged in the rocky wall behind. The rock at the left is free from the turbulence and looks nearly flat. The figures, on the other hand, are superb. The texture and feel of Saint Jerome's weather-beaten body are produced by emphasizing the bone structure with short, stipple-like strokes. The transparent shadows that fall across the right forearm and left upper arm, and also envelop the left leg, attain a new level of subtlety.

car un pedrusco o montículo de piedra y probó distintas combinaciones lineales para realizarlo, aunque lo cierto es que ninguna de ellas resuelve el problema y la sensación última es de superficie cóncava en lugar de convexa. En la roca situada justo detrás de san Jerónimo aparece otro problema: una serie de líneas oblicuas, algunas de ellas rizadas, no consiguen definir la forma de la piedra ni su volumen, creando, más bien, una sensación plana sobre el papel y no alcanzando su propósito. La unión entre la trompeta y la roca también deja mucho que desear y se pierde el efecto de las nubes que oscurecen la superficie de la piedra, mientras en otra zona de la estampa se nota una transición demasiado brusca entre la sombra de la pierna del santo y la roca que le sirve de mesa. En último lugar, la obra, incluso en las primeras estampaciones, presenta una serie de marcas accidentales. Las más notables son dos líneas largas y paralelas que bajan oblicuas desde la esquina superior derecha hasta la pierna derecha y una línea corta y bifurcada que aparece en la línea superior derecha que enmarca la composición. El origen de estas marcas es un misterio; una posibilidad podría ser gotas de ácido que han resbalado por la plancha si bien, con excepción de la línea bifurcada, las marcas son demasiado largas para confirmar esta hipótesis. En cualquier caso, la combinación de este defecto con los problemas técnicos tal vez pudo persuadirle a repetir el mismo tema en la siguiente estampa.

Hay una estampa sin fecha ni firma que se puede asociar a *San Jerónimo y la trompeta*. Se trata de *La lamentación* (Cat. núm. 17) que podría haber precedido al *San Jerónimo* por su menor madurez desde el punto de vista técnico[3]. Exceptuando el uso limitado del punteado en el cuerpo de Cristo, se podría decir que el artista ha utilizado unas líneas entrecruzadas muy abiertas para crear las zonas oscuras y las ha utilizado de forma bastante descuidada en algunas partes, sobre todo en el sombreado que aparece entre la Virgen María y san Juan, más confuso aún por las líneas que descienden paralelamente al cuerpo de Cristo. Una vez más trata el cielo de forma expeditiva, las líneas parale-

las dan un aspecto insípido a toda la zona. Estos desafortunados pasajes han confundido a algunos investigadores, entre los cuales me incluyo, que no han visto los puntos de contacto entre esta estampa de Ribera y sus estampas anteriores, ni tampoco el modo conmovedor y contenido de manifestar la emoción, característica del artista.

La segunda versión de *San Jerónimo escucha la trompeta del Juicio Final* (Cat. núm. 5) también puede ser fechada en 1621. Esta repetición de un mismo tema es un hecho aislado en las estampas de Ribera y se siente la tentación de interpretarlo como un esfuerzo por superar los indiscutibles defectos de la primera versión[4]. Un cambio menor, pero revelador, aunque mucho menos importante que los otros intentos de superación, es el monograma integrado en la composición. En primer lugar, Ribera no circunscribió sus modificaciones a los temas técnicos, sino que los aprovechó para mejorar la composición, acentuando, sobre todo, el dramatismo del encuentro al sustituir las dos manos que sostienen tímidamente una trompeta entre las nubes por el ángel de tamaño natural. Como resultado inmediato el milagro se convierte en un acontecimiento asombroso, frente a la leve intrusión anterior, el sobresaltado san Jerónimo levanta una mano y retrocede con miedo y con sorpresa. La nueva concepción de la escena reduce de forma eficaz la falta de claridad en las líneas del fondo que, a pesar de haber variado muy poco respecto a las de la primera versión, disfrutan de un contexto dramático mucho más eficaz y parecen haber adquirido movi- Det. p. 97 miento, como ondas sucesivas de un estanque, gracias a la fuerza de la entrada en escena del ángel. Sin embargo, una mirada más atenta muestra su estructura y posición mal definidas: a medida que se van diluyendo sobre la superficie las líneas acaban con la sensación de solidez y de nuevo las piedras de la derecha se ocultan en el muro rocoso que aparece detrás, al tiempo que la roca de la izquierda no sufre la turbulencia y parece bastante plana. Por otro lado, las figuras son soberbias. La textura y la sensación que presenta el cuerpo de san Jerónimo, curtido por la intemperie, se consi-

In the third print of 1621, Ribera further strengthened his control of the medium. The *Penitence of Saint Peter* (Cat. no. 6), which is dated 1621, aims at capturing the same strong contrasts of light and shadow found in the two Saint Jeromes. Detail p. 52 Blank patches of paper are used to produce the highlights, while closely spaced lines in the hollows of the robe and behind the ear hold the ink and create dark shadows. The play of light on surfaces is also subtler. An intricate system of parallel and cross-hatched lines creates half-tones along the left side of the figure, while the burin also is used to deepen the shadows, especially behind the left side of the figure at the shoulder and along the inside leg. Once again the short stipple-like strokes are used to create intermediate tones. Evidence of increased refinement is also found in the face, which is delicately modeled with a variety of strokes, some little more than flicks of the needle, others turned into tight, springy curves. Small details of texture such as hair and skin are vividly captured and contrasted. In addition, the chaotic helter-skelter of lines in the background has been subjected to greater if not perfect control. The rock above and behind Saint Peter has more lucid form and structure, though the small rock at the far right still appears unnaturally flat. The main problem is found in the middle ground, just beyond the saint's back. Are we to imagine these two shapes as horizontal or vertical? The heavy, cross-hatched shadow cast by the body seems to suggest the form of an upright rock, but such a rock would destroy the coherence of the view into the background. By way of compensation, Ribera's distant landscape is a masterpiece of abbreviation. The spiky silhouette of the tree against the clear sky and the low-lying mountains are produced with just a few sketchy strokes, and provide a spare, effective background to the scene repentance.

Another print in this vein is the *Putto Whipping a Satyr* (Cat. no. 18), which I mistakenly excluded from the first edition of my catalogue. Although the effects of shadow are less dramatic than in the *Penitence of Saint Peter,* the technique, and especially the vibrant quality of the etched line, no longer leave any room to doubt the authorship.

A final figural composition which can be assigned to this group is the *Poet* (Cat. no. 3), one of Ribera's most successful prints and memorable inventions. Much careful thought and research have been invested in determining the identification of the poet here represented, but it seems likely that Ribera was creating a type rather than a portrait of a specific individual[5]. Using only parallel and cross-hatched lines, Ribera produced a powerful image of artistic meditation. Small pockets of pitch-black shadow around the face and in the drapery help to convey a sense of an imposing figure sunk in deep thought. The inspired juxtaposition of a monumental figure with a large masonry block reinforces the ponderous, meditative mood of this brilliant image.

By the end of 1621, Ribera had made considerable progress towards mastering the art of etching and achieving a personal style. Beginning around 1620 as a fine draftsman but inexperienced etcher, he had by 1621 conquered all but a few techinal problems. The three signed prints of 1621 permit us to witness the process of trial-and-error through which Ribera passed as he learned to etch. But how to explain the really enormous distance in technique and style between the first of these prints and its small, unambitious predecessors, *Saint Sebastian* and *Saint Bernardino?* We have to assume, for want of knowledge, that Ribera studied the mechanical aspects of etching and printing when he was in Rome ca. 1613-1616. Or perhaps he acquired the basic skills from a printmaker or book illustrator in Naples, though the graphic arts were not as widely practiced there as in

guen enfatizando la estructura ósea con trazos casi punteados. Las sombras transparentes que caen sobre el antebrazo derecho y la parte superior del brazo izquierdo, y envuelven la pierna derecha, adquieren un nuevo nivel de sutileza.

Det. p. 52

En la tercera estampa de 1621, Ribera afianzó aún más su control del medio. *Las lágrimas de san Pedro* (Cat. núm. 6), fechada en 1621, trata de captar los mismos fuertes contrastes de claro-oscuro que aparecen en las dos estampas de san Jerónimo. Las zonas vacías se usan para producir los efectos luminosos, mientras las líneas apretadas de las partes hundidas del manto y de la parte posterior de la oreja concentran la tinta creando un efecto de sombreado. El juego de la luz en las superficies también es más sutil; un complicado sistema de líneas paralelas y entrecruzadas crea los tonos intermedios a lo largo del lado izquierdo de la figura, al tiempo que el buril es utilizado para intensificar las sombras, sobre todo detrás de la parte izquierda de la figura a la altura del hombro y a lo largo de la pierna posterior. Una vez más, los trazos cortos, casi punteados, se utilizan para crear los tonos intermedios. Pruebas de un mayor refinamiento también aparecen en la cara modelada muy delicadamente con una gran variedad de trazos: algunos apenas mayores que los toques de la punta, otros convertidos en curvas apretadas y elásticas, captando y contrastando intensamente pequeños detalles de la textura, como el pelo y la piel.

Además, las caóticas líneas del fondo, colocadas sin orden ni concierto, han sido sometidas a un mayor, aunque no perfecto, control. La roca que aparece por encima y detrás de san Pedro tiene una forma y estructura más lúcida, aunque la pequeña roca colocada en el extremo derecho sigue teniendo un aspecto forzadamente plano. El mayor problema se encuentra en las zonas intermedias, justo detrás de la espalda del santo: ¿son dos formas verticales u horizontales? La sombra que proyecta el cuerpo del santo, de aspecto consistente y descrita a través de líneas entrecruzadas, parece sugerir una roca enhiesta, pero esta roca destrozaría la coherencia del paisaje del fondo. En contrapartida, el paisaje que se observa en la lejanía es un ejemplo de condensación: la silueta puntiaguda del árbol que se recorta en el cielo y las humildes montañas se han ejecutado con unos trazos abocetados creando el fondo suplementario y eficaz para una escena de contrición.

Otra estampa en la misma línea es el *Cupido azotando a un sátiro* (Cat. núm. 18), que por error excluí de la primera edición de mi catálogo. Aunque los efectos de las sombras no son tan dramáticos como los de *Las lágrimas de san Pedro,* la técnica, y especialmente la calidad vibrante de la línea grabada, no ofrecen ninguna duda respecto a la autoría.

Una última composición figurativa que se puede reunir a este grupo es *El poeta* (Cat. núm. 3), una de las estampas más logradas y más notables creaciones de Ribera. Se ha dedicado mucho esfuerzo y estudio a la identificación del poeta aquí representado, si bien parece probable que Ribera estuviera creando un prototipo y no haciendo el retrato de un individuo determinado[5]. A través del uso de líneas paralelas y entrecruzadas Ribera ha producido una poderosa imagen de meditación artística. Las pequeñas zonas de negro intenso que generan las sombras en torno a la cara y en los ropajes contribuyen a lograr la sensación de una figura imponente sumida en pensamientos profundos y la inspirada yuxtaposición de la figura monumental con un gran bloque de mampostería refuerza el sentido de ponderada meditación en esta brillante imagen.

A finales de 1621, Ribera mostraba un considerable progreso en el dominio del grabado al aguafuerte, así como la consecución de un estilo personal. Después de sus inicios en 1620 como buen dibujante y grabador inexperto, en 1621 había resuelto casi todos los problemas técnicos. Las tres estampas firmadas ese año nos permiten asistir al proceso de tanteo que atravesó Ribera antes de aprender a grabar pero, ¿cómo explicar la tremenda distancia técnica y estilística que existe entre la primera de estas estampas y sus antecesoras, *San Sebastián* y *San Bernardino,* de reducido tamaño y faltas de ambición? Nuestro deseo de contestar esta pregunta nos lleva a asumir que Ribera estudió los aspec-

Rome. But such practical instruction must have been rudimentary and would not have solved the basic problem of finding the right etching style with which to convey his pictorial aims. For this, Ribera turned to the examples of other painter-etchers. In comparing the style of etching used in *Saint Sebastian* and *Saint Bernardino* with the one used in the prints of 1621, the most obvious innovations are the introduction of extensive cross-hatching and the short, stipple-like strokes, two techniques that extend the possibilities of shading at either end of the lightdark spectrum. Ribera might have learned these devices by studying the etchings of artists who had used them to achieve greater variety and warmth of tone, as opposed to those who either imitated engraving or simply transferred their style of drawing to the copper plate. In reviewing the relatively short history of etching up to that time —it had only been in general use for a century when Ribera began to etch— the work of two artists stands out as logical models: Federico Barocci and Annibale Carracci.

Barocci made only four etchings, but they are virtually the first ones to show a grasp of the coloristic possibilities of the medium. In the two large sheets, The *Annunciation* (B. 1) and *Saint Francis in Porciuncula* (B. 4), Barocci used a finished techinques much like an engraver's. However, he achieved unusual tonal subtlety by a stippling technique using hundreds of tiny dots to render intermediate tones. Sometimes these dots are interspersed between the lines, while in other places they are used independently to create thin, transparent shadows. This technique animates the surface and gives the prints their unusual shimmering appearance. In the two small etchings, the *Madonna in the Clouds* (B. 2) and the *Stigmatization of Saint Francis* (B. 3), Barocci minimized the regular cross-hatching and claimed the full measure of freedom allowed by the medium. The unfinished *Stigmatization of Saint Francis* (fig. 2) in

particular surely would have been attractive to Ribera. In the first version of *Saint Jerome* (Cat. no. 4), he has followed Barocci's line and dot system, although his use of the dot is not as bold. While Barocci has shaded Saint Francis' face entirely with little flicks of the needle, Ribera restricted their use to parts of the body. But in other respects, the two prints are very similar —the shading of the rocks with long, parallel strokes; the close hatching in the dark shadows of the legs that quickly changes direction; and the creation of halftones by close, parallel lines. In the freest of his etchings, Barocci formulated a manner that produced the same effects which Ribera aimed to achieve in his own prints.

Barocci's novel etching technique was adopted by Annibale Carracci, whose etchings played a part in the formation of Ribera's style. Annibale's etchings never quite broke free of the engraver's discipline, but his *Saint Jerome* (B. 14, fig. 3) has certain points of contact with Ribera's early style, though they are overemphasized by the common subject matter[6]. Although Annibale avoided strong contrasts of light and shadow, preferring a uniform light tonality, his variation of Barocci's line-and-dot technique more closely approximates Ribera's. The dots are made with short flicks of the needle and thus lack the tidy precision found in Barocci's prints. By using this technique freely, as Ribera did, it was possible to obtain the effect of a flickering light that cast pockets of deep shadow in the hollows of the body and drapery. Besides enlivening the surface, it also created the appearance of relief and volume. In *Saint Jerome* and one or two other prints, Carracci took tentative steps in this direction that may have furnished Ribera with an example to follow. However, the example of Barocci alone would have been sufficient to supply Ribera with what he needed to transform himself from a draftsman to an etcher.

In 1622, Ribera turned his attention from figural compositions to physiognomy. Two groups of

2 FEDERICO BAROCCI: *La estigmatización de san Francisco.* Londres, British Museum

3 ANÍBAL CARRACCI: *San Jerónimo.* Londres, British Museum

tos técnicos del grabado al aguafuerte y la estampación durante su estancia en Roma hacia 1613-1616, aunque también es posible que llegara a adquirir la experiencia necesaria con algún estampador o ilustrador de libros en Nápoles, a pesar de no estar las artes gráficas allí tan difundidas como en Roma. En todo caso, esa instrucción práctica debió ser rudimentaria, incapaz de resolver los problemas básicos a la hora de encontrar el estilo de grabado al aguafuerte apropiado para sus metas pictóricas, por lo que Ribera volvió la vista hacia los ejemplos de otros pintores aguafortistas. Si comparamos el tipo de grabado al aguafuerte utilizado en *San Sebastián* y *San Bernardino* con el utilizado en las estampas de 1621, la novedad que salta a la vista en primer lugar es la introducción dilatada de líneas entrecruzadas y de trazos cortos, casi punteados, dos técnicas que intensifican las posibilidades del sombreado a ambos extremos del espectro del claro-oscuro. Tal vez Ribera aprendió estos trucos estudiando las estampas de otros artistas que los habían utilizado para conseguir una mayor variedad y efectos tonales, contrariamente a aquellos que se habían limitado a copiar el grabado a buril o, sencillamente, que habían trasladado su estilo dibujístico a la lámina de cobre. Al repasar la corta historia del grabado al aguafuerte hasta el momento —sólo se había utilizado de forma generalizada desde un siglo atrás desde que Ribera empezara a grabar—, el trabajo de dos artistas sobresale como el modelo lógico para el español: Federico Barocci y Aníbal Carracci.

Barocci realizó sólo cuatro estampas grabadas al aguafuerte, pero se podría decir que son las primeras que consiguen captar las posibilidades colorísticas del medio. En las dos grandes, *La Anunciación* (B. 1) y *San Francisco en Porciuncula* (B. 4) Barocci utilizó un acabado más cercano al de un grabador a buril. No obstante, logró la sutileza tonal a través de la técnica de punteado utilizando cientos de puntitos diminutos para producir los tonos intermedios. A veces, estos puntos están esparcidos entre las líneas, mientras en otros lugares se usan independientemente para crear sombras leves y transparentes. Esta técnica anima la superficie y

da a la estampas una extraña apariencia de brillantez. En los dos aguafuertes pequeños, *La Virgen de las nubes* (B. 2) y *La estigmatización de san Francisco* (B. 3), Barocci reducía al mínimo las típicas líneas entrecruzadas y reclamaba toda la libertad que el medio permitía. Precisamente esta inacabada *Estigmatización de san Francisco* (fig. 2) debió resultar muy atractiva para Ribera. En la primera versión de *San Jerónimo* (Cat. núm. 4), siguió el sistema de punto y línea utilizado por Barocci, aunque su uso del punteado no es tan intrépido: mientras Barocci ha sombreado completamente la cara de san Francisco con pequeños toques de la punta, Ribera limita su uso a algunas partes del cuerpo. Sin embargo, desde otros puntos de vista, las dos estampas son muy semejantes —las sombras de las rocas con trazos largos y paralelos, las apretadas líneas entrecruzadas en el sombreado de las piernas que cambian de dirección con mucha brusquedad y la creación de tonos medios con líneas paralelas a muy poca distancia. En sus más libres aguafuertes Barocci concibió un modo de hacer que producía los mismos efectos que Ribera deseaba alcanzar en sus estampas.

La nueva técnica del grabado al aguafuerte de Barocci fue adoptada por Aníbal Carracci, cuyos aguafuertes jugaron un papel muy importante en la formación del estilo de Ribera. Los aguafuertes de Aníbal nunca llegaron a desvincularse por completo de la disciplina del grabado a buril, pero su *San Jerónimo* (B. 14, fig. 3) tiene ciertos puntos de contacto con el estilo temprano de Ribera, aunque estén enfatizados sobremanera por el tema tratado, igual en los dos casos[6]. A pesar de que Aníbal evitaba los contrastes fuertes del claro-oscuro y prefería siempre una tonalidad clara y uniforme, sus variaciones sobre la técnica de puntos y líneas de Barocci se acercan más a la de Ribera. Los puntos se realizan con toques cortos de la punta y falta la impecable precisión de las estampas de Barocci. Utilizando esta técnica libremente, como hizo Ribera, se podía obtener un efecto de luz oscilante que repartía zonas de fuertes sombras en los pliegues del cuerpo y los ropajes y que, además de animar la superficie, creaban una apariencia

prints, one consisting of three, the other of two etchings, can be dated to this year. First is a collection of three sheets showing details of the head and face (Cat. nos. 7-9), all of which are signed and one of which is dated 1622. These prints belong to a tradition of artists' instructional manuals which developed during the sixteenth century[7]. The immediate prototype can be found in two collections of engravings specifically designed for beginning artists, one of which appeared in 1608, the other in 1619[8]. The precise motive for Ribera's interest in the subject is unknown. He was, of course, a skilled draftsman who had carefully trained himself in the practice of figure drawing. If nothing else, these prints demonstrate his mastery of the art. But why he should have felt the need, even in passing, to help educate fledgling artists must remain as a mystery, unless it involved the training of his apprentices. Whatever the motives for their creation, the *Studies of Ears* and the *Studies of Eyes* are routine examples of the patternbook tradition. The third sheet, however, moves from basic instruction in drawing to something more complicated, the representation of expression. Ribera's choice of expressions offers a dramatic contrast between meditation and fear or pain, between hushed silence and raucous sound. (In fact, the «shrieking mouth» reappears in Ribera's own work, in the figure of Marsyas in the paintings in Brussels and Naples of *Apollo and Marsyas,* executed in 1637).

The other prints in this group represent grotesque heads. Ribera had a serious interest in the grotesque, which is only evinced in his prints and drawings. During the sixteenth century, and inspired by the example of Leonardo da Vinci, artists became increasingly fascinated by the world of the grotesque, and it is clear that Ribera studied the artistic results of this new interest with some care[9]. The *Large Grotesque Head* (Cat. no. 11), in fact, appears to be derived

from a large sixteenth-century print by Martino Rota (fig. 4)[10], a connection that is seen even more clearly in the preparatory drawing for the etching (fig. 29)[11].

The *Small Grotesque Head,* signed and dated in 1622 (Cat. no. 10), is not truly a caricature because Ribera has not permitted himself the indulgence of mockery. Instead he has taken a straightforward view of a man cursed with an ugly nose, a protruding lower lip, warts, and a large growth on his neck. In the companion piece, the *Large Grotesque Head* (Cat. no. 11), Ribera moved from the ugly to the repulsive. The print is signed with a less elaborate monogram-*cum*-signature, but bears no date. However, Ribera left behind a cryptic clue that allows us to confirm the evidence supplied by the similarity of style and theme to the *Small Grotesque Head.* Just to the left of the stocking cap is a group of apparently illegible curved lines that run into the man's head. But when the print is turned on its right side, so that the face is pointing down, the lines take the shape of an imperfectly erased eye, with the pupil in the left half. This faint design corresponds exactly to an eye on the *Studies of Eyes* —the leftmost frontal eye in the middle row. It is clear that Ribera began a study sheet on the plate later etched with the *Large Grotesque Head*— an observation that is confirmed by the size of the plate, which is identical to the three study sheets. Obviously he could have saved the plate and used it many years later. However, given the other points of contact with the *Small Grotesque Head,* it adds more evidence to support a date of 1622 for this work as well.

From a technical viewpoint, the two Grotesque Heads are consummate examples of the art of etching, and quite free of the false steps occasionally taken in the works of 1621. Within a tight silhouette, Ribera has recreated the eccentric geography of these unusual faces. The *Large Grotesque Head* is more impressive because

4 MARTINO ROTA: *Dioses paganos.* Florencia, Uffizi

de armonía y volumen. En el *San Jerónimo,* y en una o dos estampas más, Carracci dio algunos pasos experimentales en esta dirección que, tal vez, ofrecieron a Ribera un ejemplo a seguir. En todo caso, el ejemplo de Barocci en sí mismo podría haber sido suficiente a la hora de ofrecer a Ribera lo que necesitaba pará pasar de dibujante a grabador.

En 1622 desvió su atención de las composiciones figurativas a las composiciones de fisonomía y ese mismo año se pueden fechar dos grupos de estampas, uno de tres y otro de dos.

El primero es una colección de tres estampas donde se muestran detalles de la cabeza y la cara (Cat. núms. 7-9), todas firmadas y en una de las cuales aparece la fecha de 1622. Estas estampas pertenecen a la tradición de las cartillas de dibujo que se desarrolló a lo largo del siglo XVI[7] y el prototipo inmediato se podría hallar en dos colecciones de estampas creadas especialmente para artistas principiantes, una de las cuales aparecía en 1608, mientras la otra es de 1619[8]. No se conoce la motivación exacta de este interés de Ribera por el tema. El era, claro está, un dibujante competente que se había educado a conciencia en la práctica del dibujo de la figura humana y, si no otra cosa, estas estampas muestran su dominio del arte, pero el por qué de esa necesidad suya, aunque pasajera, de contribuir a la educación de los artistas noveles, quedará como un misterio sin resolver, a no ser que esté relacionada con la formación de sus discípulos. Fueran cuales fueran los motivos que le llevaron a realizar estas estampas, los *Estudios de orejas* y los *Estudios de ojos* son ejemplos habituales en la tradición de las cartillas de dibujo. No obstante, la tercera estampa pasa de la educación básica en el dibujo a algo más complicado: la representación de la expresión. La elección de las expresiones de Ribera ofrece un contraste dramático entre la meditación y el miedo o el dolor, entre el silencio sosegado y el sonido ronco (de hecho, la «boca que grita» vuelve a aparecer dentro de la obra de Ribera y, más exactamente, en la figura de Marsias de las obras de Bruselas y Nápoles *Apolo y Marsias,* realizadas en 1637).

Las otras estampas dentro de este mismo grupo representan cabezas grotescas. Ribera sentía un serio interés hacia lo grotesco que sólo se pone de manifiesto en sus estampas y dibujos. Durante el siglo XVI, e inspirados por el ejemplo de Leonardo da Vinci, muchos artistas se sintieron fascinados por el mundo de lo grotesco y está claro que Ribera estudió los resultados artísticos de este nuevo interés con bastante atención[9]. De hecho, la *Cabeza grotesca grande* (Cat. núm. 11) parece derivar de una estampa de gran tamaño del siglo XVI realizada por Martino Rota (fig. 4)[10], punto de contacto que se ve incluso más claramente en el dibujo preparatorio de la estampa (fig. 29)[11].

La *Cabeza grotesca pequeña,* firmada y fechada en 1622 (Cat. núm. 10) no es realmente una caricatura, ya que Ribera no se hubiera permitido jamás la burla. En lugar de hacerlo muestra la visión directa de un hombre monstruoso con una nariz horrible, un labio inferior prominente, verrugas y una gran excrecencia en el cuello. En la pieza que la acompaña, la *Cabeza grotesca grande* (Cat. núm. 11), Ribera pasó de lo feo a lo repulsivo. La estampa está firmada con un monograma-firma mucho menos elaborado, pero sin fecha, aunque Ribera dejó tras de sí una pista críptica que nos permite destacar la similitud de estilo y tema con la *Cabeza grotesca pequeña.* Justo a la izquierda del gorro con borla hay un grupo de líneas curvas que van a parar a la cabeza del hombre, en apariencia ilegibles, pero si volvemos la estampa hacia la derecha, de manera que la cara mire hacia abajo, las líneas se convierten en un ojo que no ha sido perfectamente borrado, con la pupila del lado izquierdo. Esta forma borrosa corresponde exactamente a uno de los ojos de los *Estudios de ojos,* el ojo frontal en el extremo izquierdo de la fila del centro. Está claro que Ribera empezó su estudio en el mismo cobre en el que luego grabaría su *Cabeza grotesca grande,* observación confirmada por el tamaño de la lámina, idéntico a los tres de los estudios. Ciertamente pudo haber conservado el cobre para usarle muchos años más tarde pero, teniendo en cuenta los otros puntos de contacto con la *Cabeza grotesca pequeña,* es una

of its greater size and detail, though it is comparable in technique to its companion piece. Ribera's grasp of texture has improved enormously, enabling him convincingly to reproduce with lines the bushiness of the eyebrows, the firmness of the cheekbone (strengthened with the burin), the sponginess of the tumor. His control of the effect of light, already fine in earlier works, is now masterful. The treatment of the nose of the *Large Grotesque Head* is one example (fig. 5). The tip is virtually unmodeled in order to make its bulbous shape stand out, while the bridge of the nose is in a deep shadow created by a dense mass of dark lines. The transition between the two extremes of light and shadow is accomplished by using irregular cross-hatches and tiny dots to create an intermediate tone. The *Large Grotesque Head* is Ribera's first masterpiece as an etcher.

After the initial outburst of printmaking activity that occurred between 1620 and 1622, Ribera became an occasional etcher and usually made prints only for a specific reason. Why he should have lost interest in the medium immediately after mastering it is a complete mystery. The only answer is the commonsense one —that he simply did not enjoy it enough to make the effort to continue. Given his relative lack of interest in the craft of printing, this simple explanation makes a modicum of sense. Nevertheless, each of the five prints done after 1622 is a superb work of art.

The *Martyrdom of Saint Bartholomew* (Cat. no. 12), signed and dated in 1624, is Ribera's first multifigured composition in etching. It bears a dedication to Prince Philibert of Savoy, the viceroy of Sicily[12]. Philibert was a patron of writers and scholars, and Ribera may have hoped to encourage his support by means of this etching. However, the plans came to nought because Philibert died on August 4 of the same year. But perhaps the «official» purpose of the print led Ribera to make it one of his most ambitious etchings. The composition follows the first example of a scheme that Ribera used in several versions of this subject, which are discussed in the second part of this study. Technically the print is highly refined. Although the shadows are still dark and the highlights bright, the contrast has been muted by the introduction of middletones. In the saint's body, Ribera has used a stippled effect with scores of lightly bitten dots that produce soft, gently graded shadows. The face is shaded with very fine, light strokes, and with an occasional short flick of the needle. Thin, closely spaced lines are employed throughout to furnish an even tone that softens the strong contrasts of earlier prints. To be fully appreciated, this print must be seen in an early impression when grayish paper was used and before the shallow-bit lines had begun to fade. Ribera's finer style permits him to portray even the small details with clarity and relief, so that the print is sharper than any of his earlier works. The clear, subtle light, together with the effective conception of the subject, make this one Ribera's most successful prints. During the same year, or at most one year later, Ribera etched the splendid *Saint Jerome Reading* (Cat. no. 13). A proof impression, unique in Ribera's oeuvre, in the Kupferstichkabinett, Berlin-Dahlem, establishes the fact that the print was done after *Saint Bartholomew*. This sheet shows the dedicatory inscription of the *Martyrdom of Saint Bartholomew* printed beneath *Saint Jerome Reading*. Obviously Ribera at one point contemplated the addition of an inscription to the *Saint Jerome* and, in order to judge its appearance, temporarily stopped out the Flaying of Bartholomew so that only the lettering would print, and then made an impression of the new work directly above it. *Saint Jerome Reading* is Ribera's most delicate etching. Initially one is struck by the refinements of tone. In

5 RIBERA: Detalle Cat. núm. 11

Detail cover

prueba más que confirma la fecha de 1622 también para esta obra.

Desde el punto de vista técnico las dos cabezas grotescas son consumados ejemplos del arte del grabado al aguafuerte, completamente libres de los pasos en falso que había dado con anterioridad y que aparecen en los trabajos de 1621. Dentro de una ajustada silueta, Ribera ha recreado la excéntrica geografía de estas caras extrañas y aunque la *Cabeza grotesca grande* resulta más impresionante por su mayor tamaño y mayor lujo de detalles técnicamente es comparable a la pieza que la acompaña. Ribera ha mejorado notablemente en cuanto a textura se refiere y esto le permite reproducir de forma convincente el espesor de las pestañas, la firmeza del pómulo (fortalecido por el buril) y la esponjosidad del tumor. Su control sobre los efectos luminosos, bastante buenos incluso en las primeras estampas, es ahora absoluto. El tratamiento de la nariz en la *Cabeza grotesca grande* es un claro ejemplo (fig. 5): la punta de la nariz está casi indefinida para poner de manifiesto la forma bulbosa, al mismo tiempo que el puente es una sombra profunda creada por una masa densa de líneas oscuras. Por otro lado, la transición entre los dos extremos de luces y sombras se consigue utilizando líneas entrecruzadas irregulares y pequeños puntos para crear los tonos intermedios. La *Cabeza grotesca grande* es la primera obra maestra de Ribera como grabador.

Después del inicial arranque en el grabado, que tuvo lugar entre 1620 y 1622, Ribera se convirtio en un grabador ocasional y, generalmente, hizo estampas sólo por algún motivo concreto. Sigue siendo un completo misterio el por qué perdió interés por el medio una vez dominado y la única respuesta posible está dictada por el sentido común: simplemente no le satisfacía lo suficiente para tomarse la molestia de continuar y, dada su relativa falta de interés, la respuesta parece bastante lógica. En todo caso, las cinco estampas realizadas después de 1622 son unas obras de arte soberbias.

El *Martirio de san Bartolomé* (Cat. núm. 12) firmada y fechada en 1624, es la primera composición con varias figuras grabadas al aguafuerte por Ribera. En ella aparece la dedicatoria al Príncipe Filiberto de Saboya, virrey de Sicilia[12], mecenas de escritores y eruditos y cuya ayuda esperaba Ribera, tal vez, alentar a través de este grabado. De todos modos, los planes fracasaron porque Filiberto murió el 4 de agosto de ese mismo año pero, quizás, el propósito *oficial* de la estampa llevó a Ribera a hacer de ella uno de los aguafuertes más ambiciosos. La composición parece ser el primer ejemplo de una idea que Ribera utilizó en varias versiones del mismo tema analizadas en la segunda parte de este estudio. Desde un punto de vista técnico la estampa es muy refinada; aunque las sombras siguen siendo muy oscuras y las zonas luminosas muy claras, el contraste ha cambiado al introducir los tonos medios. En el cuerpo del santo, Ribera ha utilizado el efecto de punteado de mordido ligero y con toques cortos y ocasionales de la punta, mientras líneas finas y a poca distancia se emplean por todas partes para alcanzar el tono uniforme que suaviza los fuertes contrastes de las primeras estampas. Para apreciarla en toda su magnitud es necesario ver esta obra en una de las primeras estampaciones en las que se utilizó papel grisáceo y antes de que las líneas de mordido ligero empezaran a desaparecer. El más refinado estilo de Ribera le permite describir incluso los más pequeños detalles con claridad y armonía, por lo que la estampa es más nítida que cualquiera de sus primeros trabajos. La luz, clara y sutil, junto a la impresionante concepción del tema, hace de esta estampa una de las más logradas de Ribera.

Durante ese mismo año, o como mucho un año después, Ribera grabó el espléndido *San Jerónimo leyendo* (Cat. núm. 13). Una prueba de estado, única en la obra de Ribera y conservada en el Kupferstichkabinett, Berlín-Dahlem, deja claro que esta estampa fue realizada después del *San Bartolomé* porque en ella aparece estampada la misma inscripción del *Martirio de san Bartolomé*. Obviamente, en un determinado momento Ribera contempló la posibilidad de añadir una inscripción al *San Bartolomé* y, para ver el efecto, preservó temporalmente el san Bartolomé despellejado

29

Detail p. 53 early impressions, Ribera sometimes left a thin film of ink in the sky and in the shadows of the neck, to which a subtle harmony of grays is keyed. As in the *Martyrdom of Saint Bartholomew,* extreme contrasts are softened by using very fine, lightly bitten lines, especially in the saint's body. For instance, the crown of his skull is covered by faint drypoint strokes placed very closely together, while the side of the nose is shaded by impossibly thin lines that almost touch one another (fig. 6). Ribera has used much less cross-hatching than usual, so that the tone of the paper shows through more evenly. The print has two pentimenti, a unique occurrence in Ribera's oeuvre. The squared-off block behind the head once extended to the right another centimeter or so, where now the trunk of the wispy tree appears. And the scroll that Jerome intently studies formerly looped up higher as it fell from his left hand. The failure to erase the lines completely may be interpreted as a further sign of Ribera's casual approach to the craft, an attitude all the more unusual in one who was striving for such delicate effects.

After a lapse of four years without making a print, Ribera produced another masterpiece, the large *Drunken Silenus* of 1629 (Cat. no. 14), his most widely admired etching. The *Drunken Silenus* reproduces a theme known in a painting. Two years before, Ribera had painted a robust picture of the subject for the Flemish merchant-collector Gaspar de Roomer, and from this he took the basic composition of the print (fig. 33)[13]. However, the etching is really a variation of the composition, not a replica. Only the three central figures and the braying donkey have survived the transition from oil paint to etching. The laughing boy-satyr has been replaced by two infant tipplers and the spectators, who are nearly lost in the upper right corner, are now clearly seen as a maenad with tambourine and a satyr, who holds a broken staff in

a suggestive position. The print in fact is a notably superior rendition of the subject, and not merely because it has a more lucid and open composition. It describes a more thoroughly Bacchic world, where too much wine leads from excess to excess until the beast in man triumphantly dominates and Silenus' ass can feel entitled to laugh in superior derision. Ribera has magnificently captured the joyful, mindless sensuality of the Bacchic orgy. The huge belly of Silenus sags heavily to one side, a great expanse of smooth white flesh almost without a wrinkle, that at last is supported by a band of closely hatched strokes. Next to him Ribera's etching needle reproduces the wiry bristles of hair covering the satyr's legs. At the rear is a large vat that is a brilliant counterfeit of wooden grain and texture. To the right of the vat, a bright and limpid sky fills the background with light. A jagged treetrunk and a few bushes, picked out with light, thin strokes, are faintly visible. The *Drunken Silenus* is Ribera's tour de force as an etcher, a dazzling demonstration of his ability to produce effects of texture, of light, and of density and softness.

During the rest of his life, Ribera made only two more prints, one in the early 1630s, the other in 1648. Both were almost certainly commissioned works, and it appears that nothing less than a firm order for a print would induce Ribera to return to the medium. Despite the infrequent production, his hand never lost its skill, and these two isolated prints are both outstanding. The first is an heraldic escutcheon that Ribera designed but only partially executed (Cat. no. 15). It consists of two parts, a coat of arms set in an elaborate frame that is surmounted by three putti holding a crown. Only the putti are etched, and etched unmistakably in Ribera's style. But the heraldic part is a typical decorative engraving of the seventeenth century, competent but dry. Its author must have been a print-maker

6 RIBERA: Detalle Cat. núm. 13

Detail p. 112

Det. p. 53

para que saliera sólo la leyenda haciendo luego una estampación del nuevo trabajo justo encima de ella. *San Jerónimo leyendo* es el aguafuerte más delicado de Ribera, llamando sobre todo la atención por el refinamiento de sus tonos. En las primeras estampaciones Ribera dejó a veces una fina película de tinta en el cielo y en las sombras del cuello que armonizaba con la gama de grises. Al igual que en el *Martirio de san Bartolomé* los contrastes extremos se suavizan utilizando líneas muy finas y de mordido ligero sobre todo en el cuerpo del santo; por ejemplo, la coronilla está cubierta por trazos muy tenues de punta seca, a poca distancia unos de otros, mientras el lado de la nariz está sombreado por líneas finísimas que casi se rozan (fig. 6). Ribera ha utilizado muchas menos líneas entrecruzadas que de costumbre, de tal manera que el color del papel aparece más uniforme. En las estampas se observan dos arrepentimientos, caso único en la obra de Ribera. El bloque cuadrado detrás de la cabeza antes se extendía hacia la derecha un centímetro más o menos, allí donde ahora aparece el tronco del arbolito, y el pergamino que Jerónimo estudia atentamente antes se rizaba más hacia arriba al caérsele de la mano izquierda. El no haber borrado las líneas perfectamente puede ser interpretado como un signo más de la manera desenfadada en que Ribera se planteaba la actividad, actitud más que inusual para alguien que buscaba efectos tan delicados.

Después de un lapso de cuatro años sin realizar una estampa, Ribera produjo otra obra maestra, el *Sileno borracho* grande de 1629 (Cat. núm. 14), su estampa más admirada por todos. Dos años antes, Ribera había pintado una vigorosa obra del mismo tema para el comerciante y coleccionista flamenco Gaspar de Roomer y de ésta tomó la composición básica para la estampa (fig. 33)[13], aunque el aguafuerte es una variación sobre el cuadro, no una réplica. Sólo las tres figuras centrales y el burro que rebuzna han sobrevivido a la transición del óleo al aguafuerte. El joven sátiro que ríe ha sido reemplazado por dos niños borrachines y los espectadores, casi perdidos en la esquina superior derecha, se

ven ahora claramente como una ménade con pandereta y un sátiro que sostiene una estaca rota en una posición muy sugerente. La estampa, de hecho, ha conseguido representar el tema de forma notablemente superior y no sólo por su composición más lúcida y más abierta; ahora se describe un mundo más minuciosamente báquico, donde una cantidad asombrosa de vino lleva de un exceso a otro hasta que el animal que hay en todo hombre triunfa al fin y el burro de Sileno siente el derecho a reír con condescendiente burla. Ribera ha captado magistralmente la sensualidad alegre y despreocupada de la orgía báquica: el enorme estómago de Sileno cuelga pesadamente hacia un lado como una gran superficie de carne blanca y suave, casi sin una arruga, sostenida, al fin, por una franja de trazos cruzados muy apretados. Al lado de Sileno la punta de Ribera Det. p. 112 reproduce el fino vello que cubre las piernas del sátiro, al tiempo que detrás hay una tina, brillante imitación de la fibra y la textura de la madera, y a la derecha de la misma, un cielo brillante y limpio llena el fondo de luz. Un tronco de árbol cortado y unos pocos arbustos que resaltan los trazos finos y superficiales son apenas visibles. El *Sileno borracho* de Ribera es una exhibición de su buen hacer como grabador, una increíble demostración de su habilidad para producir efectos de textura, luz, densidad y suavidad.

Durante el resto de su vida Ribera sólo realizó dos estampas más: una en los primeros años de la década de los treinta, la otra, en 1648. Las dos eran seguramente trabajos de encargo y parece que sólo una orden decidida podía obligar a Ribera a volver al medio, aunque a pesar de lo poco frecuente de su producción, su mano nunca perdió la habilidad y estas dos estampas aisladas son excelentes. La primera es un grabado ornamental de carácter heráldico que Ribera diseñó y que realizó sólo parcialmente (Cat. núm. 15). Está formado por dos partes: un escudo de armas colocado dentro de un elaborado marco coronado por tres *putti* que sostiene una corona. Sólo los *putti* están grabados al aguafuerte y grabados con el estilo indiscutible de Ribera, mientras la parte de la heráldica es del tipo de

specializing in ornamental engraving who was hired to collaborate on a commission for which Ribera had no prior experience. In fact, Ribera's contribution, the three putti, were appropriated from one of his own paintings —the *Holy Family Appearing to Saint Bruno* (fig. 34), done in the early 1630s, a date that also is appropriate for the print[14].

Initially the print was identified as the one commissioned in 1635 by the third Duke of Alcalá, a patron of Ribera who was then viceroy of Sicily, for the frontispiece of a book of his viceregal decrees[15]. However, Delphine Fitz Darby established that the coat of arms belonged not to the Duke, but to his son, the Marquis of Tarifa[16]. Two circumstances of the Marquis' life permit the dating of this print within a few years. In 1629, he was admitted to the aristocratic military order of Alcántara, whose cross appears behind the crest. Four years later, he died a premature death at age nineteen. Therefore, the print was in all probability done between 1629 and 1633. As a collaborative work, the print stands somewhat outside the mainstream of Ribera's oeuvre, though it is admittedly an accomplished and handsome production, and is valuable as the only essay by Ribera in the decorative arts.

Ribera's last print, the *Equestrian Portrait of Don Juan de Austria,* was signed and dated in 1648 (Cat. no. 16): The etching is the second of two prints that are closely related to surviving paintings (fig. 35)[17]. Don Juan de Austria, the illegitimate son of Philip IV, had been sent to Naples to put down the revolt of Masaniello. He arrived there in October 1647 and departed in September of the following year; hence the print can be dated with unusual precision. As in the *Drunken Silenus,* Ribera has retained the central motif but altered the background, improving the conception and composition in the process. The indeterminate setting of the painting has been replaced by a view of the Bay of Naples as seen from a height. Spanish warships lie at anchor, surrounded by small boats that presumably are conveying troops to the city. The new *mise en scène* significantly alters the content. In the painting, Don Juan is presented abstractly as the military commander. In the print, he is depicted as if he were directing a specific military engagement —the arrival of the Spanish troops in Naples. Both the composition and the pose follow a seventeenth-century convention for the subject —Velázquez' *Equestrian Portrait of Philip IV* in the Prado is a well-known example— but Ribera's version of the scheme, particularly in the print, is lively and effective. As many as a dozen years had passed since his previous etching, but the print betrays no traces of hesitation; quite the contrary, for it is a masterful work. Ribera was able to distinguish brilliantly between the various textures and surfaces of horse and rider as they appear under the bright, even light, silhouetted against the empty sky. In contrast to the controlled work in the portrait, the city is represented in summary fashion in order to suggest the loss of detail of objects seen at a distance. This print achieves effortless perfection and indicates once more Ribera's considerable stature as a print-maker.

Ribera's activities as an etcher spanned virtually the entire length of his artistic maturity. But the chronological limits —1620-1648— give an unfair picture of his interest in the medium. If the trajectory of Ribera's production were plotted on a graph, there would be an immediate high peak that would fall precipitously to a low, continuous plain interrupted by two small «bumps». All but two of his prints were done between 1620 and 1628, and all but three fall into the narrower span of four or five years (1620—1624-25). Within these few years, Ribera passed through three distinct stages of development. In *Saint Sebastian* and *Saint Bernardino* of ca. 1620 we

grabado a buril de carácter decorativo muy frecuente en el siglo XVII, hecho con rigor profesional pero sin gracia. Su autor debe haber sido un grabador especializado en grabado ornamental contratado para colaborar en un encargo en el que Ribera no tenía ninguna experiencia anterior, de hecho, la contribución de Ribera, los tres *putti,* fue tomada de uno de sus cuadros, *La aparición de la Sagrada Familia a san Bruno* (fig. 34), realizada en los primeros años 30 del 1600, fecha también apropiada para la estampa[14].

Inicialmente, la estampa fue identificada como una de las encargadas en 1635 por el tercer Duque de Alcalá —un protector de Ribera que luego se convertiría en virrey de Sicilia— como portada para un libro con sus decretos como virrey[15], pero Delphine Fitz Darby notó que el escudo no era del Duque, sino de su hijo, el Marqués de Tarifa[16]. Dos circunstancias de la vida del Marqués permiten fechar la estampa dentro de un corto intervalo de tiempo. En 1629 era admitido en la Orden de Alcántara, cuya cruz aparece detrás del timbre y cuatro años más tarde moría prematuramente con 19 años de edad, por lo que la estampa fue realizada, con toda probabilidad, entre 1629 y 1633. Al tratarse de un trabajo de colaboración, en cierto modo, la estampa se sitúa fuera de la corriente principal de la obra de Ribera aunque, sin duda, es una producción lograda y bella. Es interesante por tratarse del único ensayo de Ribera en las artes decorativas.

La última estampa de Ribera, *El retrato ecuestre de don Juan de Austria,* fue firmada y fechada en 1648 (Cat. núm. 16). Este aguafuerte es la segunda de dos estampas íntimamente ligadas a una pintura, que ha llegado hasta nosotros (fig. 35)[17]. Don Juan de Austria, hijo ilegítimo de Felipe IV, había sido enviado a Nápoles para acabar con la revuelta de Masaniello. Llegó allí en octubre de 1647 y dejó la ciudad en septiembre del siguiente año, por lo que la estampa puede ser fechada con una exactitud poco usual. Al igual que en el *Sileno borracho,* Ribera ha mantenido el tema central cambiando el fondo para mejorar así la concepción y la composición. El decorado indeterminado del cuadro ha sido reemplazado por una vista de la Bahía de Nápoles tomada desde una zona elevada. Los buques de guerra españoles están anclados, rodeados por botes que, presumiblemente, están transportando las tropas a la ciudad. La nueva puesta en escena altera el contenido de manera significativa: en el cuadro, don Juan se presenta como la figura abstracta del comandante; en la estampa, aparece al mando de una acción bélica específica —la llegada de las tropas españolas a Nápoles. Tanto en la composición como en la postura sigue las normas aceptadas en el siglo XVII para este tipo de tema —El retrato ecuestre de Felipe IV, de Velázquez en el Museo del Prado es un ejemplo más que conocido—, si bien la versión de Ribera, sobre todo en la estampa, es viva y eficaz. Habían pasado ya doce años desde la realización de su anterior aguafuerte, pero en la estampa no aparece ni el menor rastro de duda, al contrario: se trata de una obra maestra. Ribera fue capaz de distinguir brillantemente entre las diferentes texturas y superficies de caballo y jinete que aparecen bajo una silueta brillante, clara, incluso recortada en el cielo abierto. Al contrario que en el detallado trabajo del retrato, la ciudad se representa de manera concisa para sugerir esa pérdida de los detalles en los objetos que se vislumbran en la lejanía. La estampa alcanza una perfección relajada e indica, una vez más, la gran talla de Ribera como grabador.

La actividad de Ribera como grabador al aguafuerte abarcó casi toda su madurez artística, pero los límites cronológicos —1620-1648— dan una impresión equivocada de su interés por el medio. Si apareciera en una gráfica la trayectoria de la producción de Ribera se vería un punto máximo inmediato seguido de una caída precipitada a una línea plana y continua, interrumpida por dos pequeños dientes de sierra. Todas sus estampas, con excepción de dos de ellas, fueron realizadas entre 1620 y 1628 y todas menos tres en el intervalo más corto aún, de cuatro o cinco años (1620-1624/25). Durante esos pocos años Ribera pasó por tres estadios fácilmente identificables: en *San Sebastián* y *San Bernardino* (hacia 1620) encontramos a un Ribera prin-

see Ribera as a novice printmaker. During the next two years, he made eleven prints in which he perfected a technique that allowed him to capture strong contrasts between light and dark as a primary stylistic device. The two versions of *Saint Jerome* and the *Poet* are the best examples of this attempt to explore this aspect of printmaking. Then in 1624, in the *Martyrdom of Saint Bartholomew,* he began to soften his style, using subtle halftones to reduce the impact of the chiaroscuro. After 1624, he used this style when he cut his infrequent plates.

If it is important to note these changes of style, it should also be remembered that Ribera's efforts as a printmaker were aimed at accomplishing a single end —to find a way to maximize the inherent freedom of etching. By its nature, etching had access to a realm denied to the stricter discipline of engraving, until then the predominant graphic medium. It could achieve greater warmth of texture and tone and liveliness of line. But until Ribera developed his technique, no artist had completely liberated the potential of the medium, although Barocci had surely pointed the way in his small oeuvre. By skillful biting and stopping-out, Ribera created a wide range of tonal effects. By occasionally leaving a film of ink on the plate, he was able to transpose light into different keys, and by drawing in his taut, wiry style, he discovered new possibilities for immediacy and spontaneity in printmaking. Then, having come that far, he lost interest in the experiment and left it to others to develop additional effects of the medium. Ribera stopped making prints for the simple reason that he was not a dedicated printmaker, but rather a painter-draftsman who approached a different medium more out of curiosity than love. Once having satisfied his curiosity, he almost stopped making prints, but not before he had created a halfdozen masterpieces of etching and opened the eyes of other artists to its possibilities.

II. THE ROLE OF THE PRINT IN RIBERA'S OEUVRE

Ribera's lack of vocation as a printmaker raises the question of why he attempted to cultivate the medium. While his motives are ultimately unknowable, one or two points suggest themselves. First, it is obvious that he regarded etching as an extension of drawing, his favored graphic medium. Furthermore, he seems to have responded to the challenge of finding the graphic equivalent of the «tenebrist» manner made popular in painting by Caravaggio (and practiced by Ribera himself in the years he was making the prints). Having done this in a thoroughly convincing way, he evidently saw no further need to repeat the experiment. The fact that the *Equestrian Portrait of Don Juan de Austria* of 1648 is technically identical to the *Drunken Silenus* of 1628 seems to indicate that Ribera ceased to be challenged by the medium. In addition to these purely artistic considerations, there was perhaps another, more practical reason for learning to etch. It seems possible that Ribera wanted to use the print as a means to broadcast the knowledge and excellence of his art beyond his circle of clients in Naples[18]. The clue to this hypothesis is found in the relationship of the prints to the paintings. Of the nine figural prints executed in the 1620s, six can be related more or less directly to pre-existing paintings. (And *Don Juan de Austria* is also based on a picture).

The relationship of Ribera's prints to his paintings has been a topic of interest to students of the artist, especially in the last years[19]. When I first studied the question in 1973, I proposed the idea that the prints, on the whole, were created independently of the pictures. This idea is no longer tenable, having been put to rest by the cleaning and restoration of the paintings in the Colegiata de Osuna (figs. 25 and 30) and their return to the canon of Ribera's authentic

cipiante; en los dos años siguientes hizo las once estampas en las que perfeccionó la técnica, hecho que le permitió captar los contrastes entre luces y sombras como principal recurso estilístico— las dos versiones de *San Jerónimo* y *El poeta* son los mejores ejemplos de su intento de investigación de estos aspectos del aguafuerte. En 1624, en el *Martirio de san Bartolomé,* empezó a suavizar su estilo, utilizando sutiles tonos intermedios para reducir el impacto de claro-oscuro. Después de 1624 utilizó este estilo para abrir sus ya pocos frecuentes aguafuertes.

Si es importante tener en cuenta estos cambios estilísticos, también convendría recordar que los esfuerzos de Ribera como grabador están encaminados a alcanzar una única meta: encontrar un modo de acrecentar al máximo la libertad inherente al grabado al aguafuerte. Por su naturaleza misma esta técnica tiene acceso a un mundo negado a la más estricta disciplina del buril, hasta ese momento el medio gráfico predominante. El aguafuerte podía conseguir texturas y tonos más cálidos y mayor fuerza en las líneas, pero hasta que Ribera desarrolló su técnica, ningún artista había liberado por completo el potencial del medio, si bien Barocci había sin duda dado algunas pautas en este sentido a través de su escasa obra. Con un mordido eficaz y haciendo reservas Ribera creó una importante gama de efectos tonales. Dejando a veces una película de tinta sobre el cobre había logrado transportar la luz a varias claves y al dibujar con su estilo ajustado y vigoroso había descubierto nuevas posibilidades de instantaneidad y espontaneidad en el grabado. Después de haber llegado tan lejos, perdía interés por el experimento y dejaba que fueran otros los que desarrollaran los efectos adicionales del medio. Ribera no siguió grabando porque no era un grabador entusiasta sino un pintor-dibujante que se había acercado a un medio diferente más por curiosidad que por pasión. Después de satisfacer su curiosidad dejó de hacer aguafuerte casi por completo, no sin antes haber realizado media docena de obras maestras y haber abierto los ojos a los otros artistas sobre las posibilidades de esta técnica.

II. LAS ESTAMPAS EN LA OBRA DE RIBERA

La falta de vocación de Ribera para el grabado nos lleva a plantearnos la pregunta de por qué trató de cultivarlo. A pesar de que se desconocen sus motivaciones hay uno o dos puntos que se pueden adivinar con facilidad: en primer lugar, es obvio que consideraba el grabado al aguafuerte como una extensión del dibujo, su medio de expresión favorito, y, además, parece que se planteó el reto de encontrar un equivalente gráfico del «tenebrismo», tan popular en la pintura gracias a Caravaggio (y practicado por el mismo Ribera en los años en que realizaba su estampas). Habiendo conseguido esto de manera absolutamente convincente, está claro que no vio la necesidad de repetir el experimento. El hecho de que el *Retrato ecuestre de don Juan de Austria,* de 1648, sea idéntico al *Sileno borracho* (1628) desde un punto de vista técnico, parece indicar que Ribera dejó de ver el medio como un reto.

Aparte de estas consideraciones puramente artísticas había, tal vez, otra razón de carácter práctico para aprender a grabar al aguafuerte. Es posible que Ribera viera en las estampas un medio de difusión del conocimiento y calidad de su arte más allá del círculo de sus clientes de Nápoles[18]. La pista para plantear esta hipótesis viene dada por la relación de las estampas con las pinturas: seis entre nueve de sus estampas figurativas realizadas en los años veinte del siglo XVII pueden relacionarse de manera más o menos directa con pinturas ya existentes (y el *Don Juan de Austria* también está basado en una pintura).

La relación de las estampas de Ribera con sus pinturas ha sido un tema muy atractivo para los estudiosos del tema, sobre todo en los últimos años[19]. Cuando estudié el problema por vez primera en 1973 planteé la idea de que las estampas en su conjunto se habían creado independientemente de los cuadros. No es posible mantener esta idea en el momento actual habiendo sido desechada después de la limpieza y restauración de las obras de la Colegiata de Osuna (figs. 25 y 30) —con la

works[20], and by the discovery of what I believe to be a copy of the *Martyrdom of Saint Bartholomew* mentioned as being among Ribera's earliest paintings in Naples (Shickman Collection, New York)[21]. In the Osuna pictures, we see two of the compositions later reworked in prints —*Saint Jerome and the Angel* and the *Penitence of Saint Peter*— while the *Martyrdom of Saint Bartholomew* clearly provides the prototype for the print of the same subject. The *Drunken Silenus,* as has always been known, depends on Ribera's painting of the subject, dated 1626. As for the *Lamentation,* while no exact model has yet been discovered, it is possible that the etching reproduces the picture described by Mancini as a «*Christ Deposto*»[22]. This leaves only *Saint Jerome Reading* and the *Poet* as «fatherless» prints among the major figure compositions.

The relationship between paintings and prints lends some weight to the idea that Ribera took up etching because he wanted his art to be known far and wide. He may also have thought that the prints would help secure orders from abroad. If this argument has any merit, then it would suggest that he stopped making prints either because the strategy failed to attract customers or succeeded well enough to justify its discontinuance. Ribera's high rate of production during the 1630s would indicate that the latter hypothesis is more likely to be true than the former.

This said, it would be a mistake to regard the figural compositions in etching as mechanical replicas of the pictures. In fact, in every instance the prints mark an improvement, often a significant improvement, over the prototype in painting. A comparison of either of the Osuna paintings with the corresponding prints makes the point. Even in more mature works, like the *Drunken Silenus,* the alterations from painting to print add interest, variety and harmony to the composition.

In this print, Ribera altered and rearranged the secondary characters to make them more expressive of the Bacchic and «satyrical» content. He also reconsidered the symbolic apparatus of the picture, eliminating two of its prominent symbols. In the painting, Ribera included a tortoise, a symbol of prudent behavior, who supplies a moralizing footnote to the debauched proceedings. Its elimination from the print reinforces the note of frank sensuality. The other symbol seems to carry an obscurely personal meaning —the snake who tears apart the *cartellino* with Ribera's signature. This peculiar motif may signify the viper of envy destroying Ribera's name. This interpretation would suggest that the painting in some measure was intended as a riposte to Ribera's critics or enemies, though the circumstances that prompted the painting are unknown. Whatever its purpose, the motif was not transferred to the print. The sum total of these changes is not a reproductive print, but a variation on a theme.

These changes reflect Ribera's preferred mode of working, which was to vary an existing composition of a given theme rather than to invent anew. In at least one instance, we can see how he restudied a composition while converting it from painting to print. A drawing of the central motif of the *Martyrdom of Saint Bartholomew* (fig. 31) was used to rearrange the poses of the two central figures[23]. In the painting, the saint's leg is bound by a crouching figure, while the knife-wielding executioner halts his grisly task of skinning the martyr and looks at his companion. As seen in the drawing, and then in the print, the saint kneels on a rock with hands tied above his head while the executioner intently goes about his business. The fact that Ribera made a preparatory study for the print suggests that he regarded the etchings as deserving of his full artistic attention, as indeed they should have been, if he intended them to elicit admiration and attract customers.

consiguiente vuelta al auténtico estilo de los cuadros de Ribera[20]– y por el reciente descubrimiento de lo que para mí es una copia del *Martirio de san Bartolomé* mencionado como uno de los primeros trabajos de Ribera en Nápoles (Colección Schickman, Nueva York)[21]. En las obras de Osuna encontramos dos de las composiciones retomadas luego en las estampas *San Jerónimo y el ángel* y *Las lágrimas de san Pedro*–, mientras el *Martirio de san Bartolomé* ofrece claramente el modelo para la estampa del mismo tema, el *Sileno borracho,* como es bien sabido, está relacionada con la pintura de Ribera del mismo tema fechada en 1626 y por lo que se refiere a *La lamentación,* al no haber sido descubierto aún el modelo exacto, es posible pensar que la estampa reproduce el cuadro descrito por Mancini como un «Cristo deposto»[22]. De esta forma, sólo quedan «huérfanas» el *San Jerónimo leyendo* y *El poeta,* ambas estampas entre las más logradas composiciones figurativas.

La relación entre los cuadros y las estampas apoya la posibilidad de que Ribera empezara a grabar porque quería que su arte tuviera una amplia difusión y porque pudo haber pensado que de este modo se aseguraba encargos importantes en el extranjero. Si esta hipótesis resultara ser cierta, entonces se podría concluir que dejó de realizar estampas bien porque la estrategia fracasó en su intento de atraer clientes, o porque tuvo tanto éxito que resultaba innecesario continuar. El alto grado de producción de Ribera en 1630 podría indicar que la segunda hipótesis es más verosímil que la primera. Dicho esto, podría ser un error considerar las composiciones figurativas que graba al aguafuerte como réplicas mecánicas de los cuadros; de hecho, en todos los casos las estampas muestran una mejora significativa respecto al modelo pictórico. Una comparación de cualquiera de la pinturas de Osuna con su correspondiente estampa no deja lugar a dudas. Incluso en obras más maduras como el *Sileno borracho,* los cambios en la estampa respecto al cuadro añaden interés, variedad y armonía a la composición. En esta estampa, Ribera cambió y reordenó la composición de los personajes secundarios para que expresaran de forma más clara el contenido báquico y «satírico». De la misma forma sometió el aparato simbólico del cuadro a una ulterior reconsideración, eliminando dos de los símbolos más destacados. En el cuadro Ribera incluye una tortuga, símbolo de la Prudencia, nota moralizante ante un comportamiento pervertido, y al eliminarla de la estampa refuerza el sentido de una franca sensualidad. El otro símbolo, la serpiente que destroza la *cartella* donde aparece la firma de Ribera, parece encerrar alguna significación oscura con implicaciones personales. Este extraño motivo podría simbolizar la víbora de la Envidia que destruye el nombre de Ribera y tal interpretación podría sugerir que la pintura, hasta cierto punto, fue pensada como respuesta a sus críticos y enemigos, aunque las circunstancias que le impulsaron a realizar esta obra se desconocen. Fuera cual fuera el propósito, el motivo no fue trasladado a la estampa. La suma total de los cambios no da, pues, una copia grabada sino una variación sobre el tema.

Estos cambios reflejan el método de trabajo favorito de Ribera: transformar una composición con un determinado tema en lugar de inventar una nueva. Al menos en una ocasión es posible ver cómo volvía a estructurar una composición al tiempo que la pasaba del cuadro a la estampa. Un dibujo del tema central del *Martirio de san Bartolomé* (fig. 31) se utilizó para variar las posturas de las dos figuras centrales[23]. En el cuadro la pierna del santo está limitada por una figura agachada mientras el verdugo que esgrime el cuchillo se detiene un momento en su horrible misión de desollar al mártir y mira a su compañero. Según muestra el dibujo, y más tarde la estampa, el santo se arrodilla sobre una roca con las manos atadas sobre la cabeza mientras el verdugo, resueltamente, se dispone a cumplir su misión. El hecho de que Ribera realizara un estudio preparatorio para esta estampa sugiere que consideraba el grabado al aguafuerte como una técnica absolutamente digna de atención desde el punto de vista artístico, como de hecho debía serlo, si su misión era despertar admiración y atraer clientes.

III. THE INFLUENCE OF RIBERA'S PRINTS

The influence of Ribera on other artists in the seventeenth century is both an accepted and remarkable phenomenon. Literally dozens of copies and versions of his works been identified over the years, which attest to the special appeal exerted by his painting. But the lines of communication that brought Ribera's work to the attention of fellow artists still need to be traced. In reconstructing the network, the diffusion of the paintings themselves obviously has an important part to play, but the task of following their wandering paths is daunting. A substantial number of them went to Spain and a reading of published inventories of seventeenth century collections in Madrid alone reveals almost one-hundred paintings attributed to him. In addition, Ribera's paintings early found ways into collections in such widely scattered parts of Europe as Sicily (Ruffo), Rome (Giustiniani, Barberini), and Amsterdam (Van Uffel). The impact of his style was intensified by the numerous copies and versions of his work made by Neapolitan followers. As a consequence, Riberesque paintings became common coin in the realm of European Baroque art. In the process of dissemination, his prints also played a role. The multiple nature of the print has traditionally made it an ideal vehicle for transmitting artistic ideas, and Ribera's prints were to enjoy considerable popularity among printmakers and painters. Fortunately, their way through Europe can be traced with greater certainly than the paintings. It must be said first of all that not all the prints appear to have been widely circulated. Two of them, *Saint Sebastian* and *Saint Bernardino,* left no known descendants, while the *Coat of Arms* was copied on only one occasion (Cat. 30, XIX). But the remaining prints reached a wide audience in a variety of ways. First of course were the original impressions of the prints made by

Ribera. However, more important from a numerical standpoint were the posthumous editions made by publishers who acquired the plates either from Ribera or his heirs. For instance, seven were obtained by the Antwerp engraver-publisher Frans van Wyngaerde (1617-1679) and, thanks to his efforts, Ribera's prints achieved far-reaching circulation[24]. Wyngaerde kept the plates «alive» by retouching them whenever they started to wear out. He even went so far as to cut three of the plates in half (the studies of eyes, ears, and nose and mouth) and to add Ribera's monogram to a print by Jean Le Clerc after a composition by Carlo Saraceni *(Rest on the Flight into Egypt,* Cat. no. 20). The *Drunken Silenus* was acquired by the Roman publisher Giacomo De Rossi, who issued an edition in 1649 —that is to say, three years before Ribera died[25]. The *Portrait of Don Juan de Austria* underwent the strangest fate of all. It was purchased by an Antwerp publisher who called himself «Gaspar de Hollander». In 1670, he reissued the plate after extensive reworking, which included changing the identity of the sitter from Juan of Austria to King Charles II of Spain. The remaining four prints —the *Poet, Saint Jerome Reading, Saint Bartholomew,* and *Saint Jerome and the Trumpet*— were printed until they wore out, though there is no record of subsequent ownership. No one can calculate how many times each etching was printed, but enough impressions were made to exhaust every plate.

The already considerable circulation of Ribera's prints was further increased by the etched and engraved copies they inspired. Beginning in the seventeenth century, numerous anonymous prints were issued with copies of Ribera's compositions in reverse. Many of them were engravings and, although all were weak imitations, their effect in spreading knowledge of Ribera's ideas was significant. More important still were folios of engravings, containing from ten to

III. LA INFLUENCIA DE LAS ESTAMPAS DE RIBERA

La influencia de Ribera en el desarrollo del arte del siglo XVII es un hecho aceptado y notable. Durante años literalmente docenas de copias y versiones de sus obras han sido reconocidas, atestiguando esa atracción especial ejercida por su pintura, si bien los medios que llevaron a sus compañeros artistas a interesarse por las obras de Ribera aún no han sido descubiertos. Al reconstruir la red es posible observar cómo la difusión de los cuadros en sí mismos jugó, sin duda, un importante papel, pero la misión de seguir sus tortuosos caminos sigue intimidando. Un buen número de ellos llegó a España y la sola lectura de los inventarios de las colecciones del siglo XVII en Madrid que han sido publicados da a conocer por lo menos cien pinturas que se le pueden atribuir. Además de esto, los cuadros de Ribera pronto llegaron a colecciones de Europa tan dispares como Nápoles y Sicilia (Ruffo), Roma (Giustiniani, Barberini) y Amterdam (Van Uffel). El impacto de su estilo se vio intensificado por las numerosas copias y relecturas de sus obras llevadas a cabo por seguidores napolitanos convirtiéndose las pinturas de Ribera en habituales en el reino del Barroco europeo. Sus estampas también jugaron un papel importante en este proceso de difusión. La naturaleza misma de las estampas, una imagen multiplicada, ha hecho siempre de ellas el vehículo ideal para la transmisión de las ideas y las estampas de Ribera gozaron de una considerable popularidad entre grabadores y pintores. Afortunadamente, su recorrido europeo puede ser determinado con una mayor precisión que el de sus pinturas.

Ante todo habría que precisar que no todas las estampas parecen haber tenido un alto grado de circulación. Dos de ellas, *San Sebastián* y *San Bernardino,* no dejaron descendencia conocida, mientras el *Escudo de armas* sólo fue copiado en una ocasión (Cat. núm. 30, XIX). Contrariamente, las restantes estampas llegaron a un amplio sector de público de muchas maneras diferentes. En primer lugar, como es lógico, habría que citar las estampaciones de los propios cobres grabados por Ribera, si bien desde un punto de vista numérico, son mucho más importantes las ediciones póstumas realizadas por los editores que habían adquirido los cobres a Ribera o a sus herederos. Un ejemplo podrían ser las siete láminas compradas por el grabador-editor de Amberes Frans van Wyngaerde (1617-1679), gracias a cuyos esfuerzos las estampas de Ribera tuvieron una amplia difusión[24]. Wyngaerde mantuvo las láminas «vivas» retallándolas cuando empezaban a aparecer signos de cansancio, llegando incluso a cortar por la mitad tres de las láminas (los estudios de orejas, ojos y nariz y boca) y a añadir el monograma de Ribera a un estampa de Jean Le Clerc basada en una composición de Carlo Saraceni *(Descanso en la huída a Egipto)* (Cat. núm. 20). El *Sileno Borracho* fue adquirido por el editor romano Giacomo de Rossi que hizo una tirada en 1649, o sea, tres años antes de la muerte de Ribera[25]. El *Retrato ecuestre de don Juan de Austria* tuvo el destino más extraño de todas las láminas. Fue comprada por un editor de Amberes que se hacía llamar «Gaspar el Holandés» y que en 1670 hacía una edición después de haberla retallado mucho, llegando a cambiar incluso la identidad del protagonista, don Juan de Austria, que pasaba a ser el rey Carlos II de España. Los cuatro cobres restantes —*El poeta, San Jerónimo leyendo, San Bartolomé* y *San Jerónimo y la trompeta*— fueron estampados hasta que el desgaste lo permitió, aunque no se tiene constancia del siguiente propietario. Es imposible calcular el número de veces que se estampó cada aguafuerte, aunque fueron las suficientes para agotar las láminas casi por completo.

La considerable circulación de las imágenes creadas por Ribera se vio incrementada por los grabados, al aguafuerte y a buril, que inspiraron. A comienzos del siglo XVII se publicaron numerosas estampas anónimas como copias invertidas de las composiciones de Ribera. Muchas de ellas estaban grabadas a buril y, si bien eran todas imitaciones de poca calidad, su efecto a la hora de dar a conocer las ideas de Ribera tuvo una gran significación. Más importantes aún fueron los cua-

twenty-four pages, that reproduced Ribera's prints. Some of the plates are simply reversals of a single composition, but many follow the system used by Ribera in his «Study Sheets» and combine arms or legs drawn from a number of prints (fig. 7). The earliest of these copy books was published while Ribera was still alive, in Paris about 1650 by Nicolas Langlois, son of the famous publisher François Langlois *dit* Ciartres. It contains twenty-two plates engraved by Louis Elle, called Ferdinand (Cat. no. 30). Soon after, Langlois sold the plates to another renowned Paris print publisher, Pierre Mariette I, founder of the great family of collectors and connoisseurs[26]. His version of the book appeared in the same year, with two additional plates by Elle (Cat. no. 31). Either Mariette or his son Pierre II also published independent copies of *Saint Jerome and the Trumpet* and the *Martyrdom of Saint Bartholomew*. And Pierre II confirmed his family's interest in Ribera by collecting at least eleven prints, which were signed and dated by the collector in his typical fashion between 1661 and 1699[27]. The consequence, of these two publications was to make Ribera's prints, or at least copies of them, readily available to artists throughout the continent and there is ample evidence that they were used. The two books also started a small vogue for anthologies of prints after Ribera's etchings, and a number of other collections were issued up to the late eighteenth century (Cat. nos. 33-37). But undoubtedly the strangest testimony to the durable appeal of Ribera's etchings is found in a group of nineteenth century forgeries. Six prints by the Barbizon School painter Charles Jacque were naïvely converted into «Ribera» by the addition of his monogram, sometimes followed by the date 1621 (Cat. nos. 24-29). These prints, of course, are a retrospective tribute to the appeal that Ribera's prints exercised over succeeding generations of artists. The seventeenth- and early eighteenth-century copies, on the other hand, made the compositions accessible to artists who found them well suited to their artistic needs. The number of paintings that imitate the etchings is truly immense.

Before reviewing some of the painters who used Ribera's prints, it may be helpful to consider why they found them so attractive. Perhaps the best way to analyze their allure is to follow the genesis of a much-imitated composition. *Saint Jerome Hearing the Trumpet of the Last Judgment*, to see what Ribera accomplished in his composition. No precise textual source for the subject of Saint Jerome's Vision of the Last Judgment has yet been discovered, but it first became popular during the early sixteenth century, when a revival of interest in Jerome's life occurred[28]. Early versions of the scene were made by adapting the composition of Saint Jerome in His Study, as seen in Marinus van Reymerswaele's painting of 1521 in the Prado (fig. 8). On the table before the saint is a large book open to an illuminated page showing a painting of the Last Judgment after a print by Albrecht Dürer. This composition embodies a three-fold conception of Saint Jerome; as scholar, as penitent, and witness to the Last Judgment.

Towards the end of the sixteenth century, the iconography of the subject underwent an important change. Instead of basing the scene on Saint Jerome in His Study, artists united the vision of the Last Judgment with Saint Jerome in the Desert[29]. This alteration emphasized Saint Jerome's visionary qualities at the expense of his scholarship. Consequently, the book was no longer a suitable means to communicate the theme of the Last Judgment and an angel with a trumpet was given this function. Francisco Pacheco used the new combination in a drawing of 1602 (Uffizi 10386 S; fig. 9). Here the angel has been rather crudely appended to the traditional scene of the penitent Saint Jerome, re-

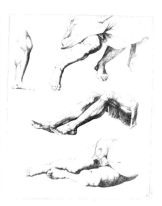

7 *Motivos basados en estampas de Ribera.*
Cat. núm. 34.
Princeton, Colección particular

dernos, de diez o veinticuatro páginas cada uno, que reproducían las estampas de Ribera. Algunas de estas estampas son sencillamente inversiones de una sola composición, pero muchas siguen el sistema utilizado por Ribera en sus «Estampas de estudios» y combinan piernas o brazos sacados de otras estampas (fig. 7). El primero de estos cuadernos de copias fue publicado hacia 1650 en París, aún en vida de Ribera, por Nicolás Langlois, hijo del famoso editor François Langlois, llamado Ciartres, y contiene veintidós estampas grabadas a buril por Louis Elle, llamado Ferdinand (Cat. núm. 30). Poco después Langlois le vendió los cobres a otro conocido editor de París, Pierre Mariette I, fundador de la importante familia de coleccionistas y expertos[26]. Su versión del cuaderno apareció ese mismo año con dos estampas adicionales de Elle (Cat. núm. 31). Bien Mariette o su hijo Pierre II también publicaron copias independientes de San Jerónimo y la trompeta y Martirio de san Bartolomé. Pierre II confirmaría el interes de su familia por Ribera al coleccionar por lo menos nueve estampas firmadas y fechadas por el dueño entre 1661 y 1699, siguiendo la costumbre del momento[27]. Consecuencia de estas dos publicaciones fue poner las imágenes de Ribera, por medio de estas copias, a disposición de los artistas del Continente y hay pruebas más que suficientes que confirmarán su utilización. Los dos cuadernos también dieron comienzo a la moda, no muy extendida, de publicar antologías de estampas basadas en los grabados de Ribera, y algunas otras colecciones vieron la luz incluso en los últimos años del siglo XVIII (Cat. núms. 33-37). Pero, sin duda alguna, el más extraño testimonio sobre la fascinación duradera de las estampas de Ribera es un grupo de falsificaciones del siglo XIX. Seis estampas de Charles Jacque, pintor de la Escuela de Barbizon, fueron cándidamente convertidas en «Riberas» colocando su monograma y a veces incluso la fecha de 1621 (Cat. núms. 24-29). Naturalmente, estas estampas son el tributo retrospectivo a la fascinación que las obras de Ribera ejercieron sobre las siguientes generaciones de artistas. Las copias del siglo XVII y primeros del XVIII, por otro lado, hicieron accesibles

estas composiciones a los artistas que las encontraban adecuadas para sus necesidades artísticas. El número de pinturas que imitan las estampas de Ribera es realmente inmenso.

Antes de enumerar a algunos de los pintores que utilizaron las estampas de Ribera puede resultar útil examinar por qué las encontraban tan atractivas. Tal vez, la mejor forma de analizar su poder de seducción es seguir la génesis de una composición muy imitada, San Jerónimo escucha la trompeta del Juicio Final, para ver lo que Ribera alcanzó en esta composición. Aún no ha sido descubierto el texto preciso que ha podido ser la fuente de la visión de san Jerónimo ante el Juicio Final, pero el tema empezó a adquirir popularidad durante los primeros años del siglo XVI, momento en que la vida de san Jerónimo comenzó a despertar un renovado interés[28]. Las primeras versiones de la escena se hicieron adaptando la composición de san Jerónimo en su estudio, como se ve en el cuadro de 1521, obra de Marinus van Reymerswaele conservado en el Museo del Prado (fig. 8). En la mesa que aparece frente al santo hay un libro abierto en una página iluminada en la que se puede ver un cuadro del Juicio Final basado en una estampa de Alberto Durero. Esta composición engloba la triple concepción de san Jerónimo: como estudioso, como penitente y como testigo del Juicio Final.

A finales del siglo XVI la iconografía del tema sufrió un cambio importante, pues en lugar de basar la escena en san Jerónimo en su estudio, los artistas unieron la visión del Juicio Final con san Jerónimo en el desierto[29]. Esta alteración enfatizaba las cualidades visionarias de san Jerónimo en detrimento de su actividad como estudioso, por lo que el libro no era ya un elemento eficaz para comunicar el tema del Juicio Final y se daba esa función al ángel con la trompeta. Francisco Pacheco utilizó la nueva combinación en un dibujo de 1602 (Uffizi, 10386 S, fig. 9) en el cual el ángel ha sido agregado a la escena tradicional de san Jerónimo penitente de forma bastante poco sutil, produciendo una falta de unidad dramática desconcertante. El problema de la consecución de una unidad psicológica y compositiva entre el

sulting in a disconcerting lack of dramatic unity. The problem of forging psychological and compositional unity between the saint and the angel seems to have been solved by Bolognese painters early in the seventeenth century. A painting by Domenichino done around 1603[30] (London, National Gallery, fig. 10), which is strongly indebted to Annibale Carracci, shows the inspiration of Saint Jerome. Although the subject is different, from a purely compositional standpoint the painting comes quite close to Ribera's prints, which completed the process of «baroquization» and offered the modern conception of a popular subject to a wide public. The appearance of the angel was conceived as a sudden and powerful intrusion on the saint, who is shocked out of his absorption in his studies and responds with a theatrical gesture of fear and surprise. Action and reaction were presented with clarity and movement, condensed into a formula that satisfied the tastes of the time completely and tended to dominate the imagination of artists who were later asked to paint the scene.

A few versions of the scene by Spanish seventeenth- century painters show the inroads made by Ribera's prints. Antonio Pereda's *Saint Jerome* of 1643 (fig. 11) is actually a curious hybrid composed in part of Ribera's first version of the scene (Cat. no. 4) and of the sixteenth-century tradition of a book open to a picture of the Last Judgment. His mixture of the two traditions is of course redundant, a point that was understood by Antonio Lucas, who eliminated the book when he executed a copy of Pereda's painting (Oviedo, Museo Provincial). And the maladroit placement of the trumpet in the upper left forces the saint to bend his head backward to see it, thus destroying the compositional flow. A few years later, Diego Polo painted a version of the subject that follows Ribera's print very closely (fig. 12), except that Polo has omitted the trumpet, thus destroying the meaning for

8 MARINUS VAN REYMERSWAELE:
San Jerónimo en su estudio.
Madrid, Museo del Prado

9 FRANCISCO PACHECO: *San Jerónimo.*
Florencia, Uffizi

10 DOMENICHINO:
La inspiración de san Jerónimo.
Londres, The National Gallery

11 ANTONIO PEREDA: *San Jerónimo.*
Madrid, Museo del Prado

12 DIEGO POLO: *San Jerónimo.*
Munich, Alte Pinakothek

13 PEDRO A. BOCANEGRA: *San Jerónimo.*
Florencia, Uffizi

santo y el ángel parece haber sido resuelta por los pintores boloñeses del siglo XVII. Una pintura de Domenichino realizada hacia 1603[30] (Londres, National Gallery, fig. 10), fuertemente influida por Aníbal Carracci, muestra una inspiración de san Jerónimo. Aunque el tema es diferente desde el punto de vista compositivo, la pintura se acerca mucho a las estampas de Ribera que completaban el proceso de «barroquización» y ofrecían la concepción moderna de un tema popular a un sector de público más amplio. La aparición del ángel estaba concebida como una intromisión súbita y poderosa en la intimidad del santo que, sobresaltado, sale de su meditación y responde con un gesto teatral de miedo y sorpresa. La acción y la reacción se presentaban, con claridad y movimiento, condensadas en una fórmula que satisfacía por completo el gusto del momento y tendía a dominar la imaginación de los artistas a los que luego se les pediría que representaran la escena.

Algunas de las versiones de la misma escena realizadas por los pintores españoles del siglo XVII muestran el camino abierto por las estampas de Ribera. El *San Jerónimo* de Antonio Pereda de 1643 (fig. 11) es en realidad un curioso híbrido compuesto en parte por la primera versión de la escena de Ribera (Cat. núm. 4) y en parte por la tradición del siglo XVII, donde aparece un libro abierto en el que se muestra un cuadro del Juicio Final. Su mezcla de las dos tradiciones es, naturalmente, redundante, hecho que comprendió Antonio Lucas, quien eliminó el libro al realizar la copia de Pereda (Oviedo, Museo Provincial). La torpe colocación de la trompeta en la parte superior izquierda fuerza al santo a mover la cabeza hacia detrás para poder verla, destruyendo de este modo la corriente compositiva. Algunos años más tarde Diego Polo pintaba una versión del tema que se basa fielmente en la estampa de Ribera (fig. 12) —a no ser por la omisión de la trompeta que destruye el significado para aquellos que no conocieran el modelo. Otro ejemplo es el dibujo del pintor granadino Pedro Anastasio Bocanegra (Uffizi, 10103 S, fig. 13) que utiliza como punto de arranque la segunda versión que del tema realizó Ribera.

anyone who does not know the model. Another example is found in a drawing by the Granadan painter Pedro Atanasio Bocanegra (Uffizi 10103 S; fig. 13), which uses Ribera's second rendition of the scene as its starting place.

The attraction of the prints was so great that some painters did not hesitate to adapt them to entirely different subjects. Both Pereda and Zurbarán (figs. 14 and 15), converted the composition to scenes from the life of Saint Peter, while an anonymous artist changed Saint Jerome into Saint John the Evangelist (fig. 16)[31]. But it was left to a follower of Francisco Rizi to provide the most convincing evidence of its appeal and adaptability —his *Penitent Magdalene* (fig. 17) has changed Ribera's old weatherbeaten saint to a young, plump, repentant sinner.

The two Saint Jeromes were no less influential in Italy. Without attempting an exhaustive list of the paintings based on them, a few of the more interesting versions can be mentioned. In his later years, Guercino twice employed Ribera's prints as sources for his own compositions of Saint Jerome. His painting of 1641 of *Saint Jerome Hearing the Trumpet of the Last Judgement* (fig. 18) followed the print quite closely, with minor modifications only in the pose of the saint and in the background. A decade later, when confronted with another commission to paint Saint Jerome, he again resorted to Ribera's print. In the *Virgin and Child Appearing to Saint Jerome,* Saint Thomas Aquine, Paris, he made freer use the source, but retained the characteristic pose with one arm outthrust, the other resting on a rock-*cum*-writing table, and his head looking upward. One of the most enlightening examples of the print in use by another artist is found in a late drawing by P. F. Mola (Haarlem, Teylers Museum AX91). The drawing shows two versions of Saint Jerome in the Desert. In the more developed sketch, Mola represented the saint in the wilderness reading a book, a composition that ultimately resulted in

14 ANTONIO PEREDA: *San Pedro.* Madrid, Museo Lázaro Galdiano

15 FRANCISCO DE ZURBARÁN: *Visión de san Pedro.* Sevilla, Catedral

16 ANÓNIMO: *San Juan Evangelista.* Málaga, Museo Provincial de Bellas Artes

44

17 CÍRCULO DE FRANCISCO RIZI: *Santa María Magdalena.* Madrid, Colección particular

18 GUERCINO: *San Jerónimo.* Rimini, San Gerolamo

La atracción de sus estampas eran tan grande que algunos pintores no dudaron en adaptarlas a otros temas completamente diferentes. Tanto Pereda como Zurbarán (figs. 14 y 15) convirtieron la composición en una escena de la vida de san Pedro, mientras un artista anónimo convirtió a san Jerónimo en san Juan Evangelista (fig. 16)[31]. Pero sería misión de un seguidor de Francisco Rizi el ofrecer la prueba más convincente de su atracción y adaptabilidad: su *Magdalena penitente* (fig. 17) convierte al santo viejo y agotado de Ribera en una joven y rolliza pecadora arrepentida.

Las dos estampas de san Jerónimo tuvieron igualmente una gran influencia en Italia. Sin tratar de ofrecer una lista exhaustiva de las pinturas basadas en ellas, mencionaremos algunas de las versiones más interesantes. En sus últimos años Guercino empleó dos veces las estampas de Ribera como fuente de inspiración para sus composiciones de san Jerónimo. Su cuadro de *San Jerónimo escucha la trompeta del Juicio Final* (fig. 18) realizado en 1641, seguía muy fielmente la estampa con pequeñas modificaciones sólo en la postura del santo y en el fondo, y diez años más tarde, al recibir el encargo de pintar a san Jerónimo, volvió a recurrir a la estampa de Ribera. En la *Aparición de la Virgen y el Niño a san Jerónimo,* (Santo Tomás de Aquino, París) utilizó la fuente más libremente, pero mantuvo la postura característica con un brazo levantado, el otro descansando en la roca que sirve de mesa y la cabeza mirando hacia arriba. Uno de los ejemplos más esclarecedores de la estampa utilizada por otro artista aparece en un dibujo tardío de P. F. Mola (Harleem, Teylers Museum, AX 91), que muestra dos versiones de san Jerónimo en el desierto. En el boceto más desarrollado Mola representó al santo en el desierto leyendo un libro, composición que dio un cuadro como resultado (Cannenburg, Gelderse Kastelenstichting). A la izquierda de la página hizo un boceto apresurado, esta vez *San Jerónimo escucha la trompeta del Juicio Final.* Se trata simplemente de un perfil precipitado de la estampa de Ribera (Cat. núm. 4), dando la impresión que era lo primero en que pensaba cuando se planteaba el tema

a painting (Cannenburg, Gelderse Kastelenstichting). But on the left of the page he quickly drew another sketch, this one of *Saint Jerome Hearing the Trumpet of the Last Judgment*. Here he has simply made a hasty outline of Ribera's print (Cat. no. 4), giving the impression that it was the first thing that came to mind when he thought of the subject. (In addition, the sketch immediately beneath this figure reflects another of Ribera's prints, *Saint Jerome Reading*). In a group of related drawings and paintings, Mola worked out other variations of the theme, all of them imbued with the spirit of Ribera[32]. Furthermore, Mola found the second version of Ribera's *Saint Jerome* so much to his liking that he used its composition, notably the position and gesture of the saint, as the primary motif for his paintings of the *Vision of Saint Bruno* (fig. 19). The list of Baroque artists who incorporated Ribera's design for Saint Jerome into their own paintings could be lengthened considerably, but perhaps two more examples will suffice to demonstrate how the print circulated among well-established Italian artists. Guido Cagnacci's *Saint Jerome* (fig. 20) and Mattia Preti's *Saint Paul the Hermit* (fig. 21) are both close adaptations of Ribera's composition. These few examples by well-known artists are echoed by the multitude of direct copies made by anonymous artists who, as a few surviving impressions show, simply ruled the prints into grids and made copies with little or no alteration[33]. Most of these works have negligible artistic value and are interesting only because they demonstrate how the prints traveled for and wide, affecting artists as they were passed from hand to hand[34].

Even as the Baroque style was passing from the scene, Ribera's invention still retained the power to attract great artists. In 1780, Jacques-Louis David recast Ribera's bony hermit into an incongruously well-nourished version of the ascetic saint (fig. 22).

19 PIER FRANCESCO MOLA: *Visión de san Bruno.* París, Louvre

20 GUIDO CAGNACCI: *San Jerónimo.* Viena, Kunsthistorisches Museum

21 MATTIA PRETI: *San Pablo ermitaño.* Toronto, Art Gallery of Ontario

22 JACQUES-LOUIS DAVID: *San Jerónimo.*
Quebec, Catedral

(además, el boceto justo debajo de esta figura refleja otra de las estampas de Ribera, *La lectura de san Jerónimo).* En un grupo de dibujos y cuadros relacionados entre sí Mola ejecutó otras dos variaciones sobre el tema, ambas imbuídas del espíritu de Ribera[32] y, lo que es más, halló la segunda versión del *San Jerónimo* tan de su gusto que utilizó su composición, sobre todo patente en la posición y el gesto del santo, como motivo esencial de sus pinturas de la *Visión de san Bruno* (fig. 19). La lista de los artistas barrocos que incorporaron el modelo de Ribera de san Jerónimo en sus propias obras podría ser aumentada aún con numerosos nombres pero, tal vez, dos ejemplos más serán suficientes para demostrar cómo circuló la estampa entre los artistas italianos de renombre. El *San Jerónimo* de Guido Cagnacci (fig. 20) y *San Pablo ermitaño* (fig. 21), de Mattia Preti, son dos adaptaciones que siguen muy de cerca el modelo de Ribera. Estos pocos ejemplos de artistas más que conocidos se repiten en la multitud de copias directas realizadas por autores anónimos que, como muestran las pocas estampaciones que han sobrevivido, dibujaron una cuadrícula e hicieron copias con pocos o ningún cambio[33]. La mayoría de estos trabajos carecen de valor artístico y son sólo interesantes porque demuestran que las estampas tuvieron una gran repercusión e influyeron en los artistas al pasar de mano en mano[34].

Incluso cuando el Barroco iba desapareciendo de escena la creación de Ribera mantenía su poder de atracción sobre los grandes artistas, como demostraría Jacques-Louis David que en 1780 convirtió al delgado ermitaño de Ribera en la versión incongruente del santo ascético, ahora bien nutrido (fig. 22).

Las dos estampas de san Jerónimo fueron claramente las más imitadas, por lo menos al referirse a los artistas de mayor altura. El *Martirio de san Bartolomé* fue copiado bastante a menudo, si bien casi siempre por pintores viajeros de escasa relevancia[35], aunque, al menos en tres ocasiones, sirvió de inspiración para escultores, que trasladaban la composición a la tercera dimensión sin alterarla en otros aspectos[36]. Por otro lado, *El poeta*

The two Saint Jeromes clearly were Ribera's most imitated prints, at least as far as major artists were concerned. the *Martyrdom of Saint Bartholomew* was frequently copied, but mostly by insignificant journeyman painters[35]. On at least three occasions, however, it furnished inspiration for sculptors, who transposed the composition into the third dimension but otherwise left it unchanged[36]. the *Poet,* on the other hand, attracted a more illustrious imitator in the person of Salvator Rosa, whose *Democritus* (fig. 23) is loosely based on the print. A closer copy is the one by Mola, who apparently was a great admirer of Ribera (fig. 24).

Through his prints, Ribera was able to establish an artistic sphere of influence in Italy and Spain during the seventeenth century larger than that which could be reached by his painting alone. Owing to his popularity among other printmakers, Ribera's prints and their copies became available to a wide, international audience. Ribera's etchings seem to have offered a definitive conception of their subjects, especially to the rank-and-file of painters, though also to masters of stature. The energy of the prints and their masterful control of light and texture, added to the interest of their compositional formulas, caused them to be absorbed into the bloodstream of Baroque art, whereby they were carried to corners of the world they otherwise would not have reached. Thanks to his etchings, Ribera became one of the best-known, admired, and imitated artists of his time, thus fulfilling what was probably his principal goal in becoming a printmaker.

24 PIER FRANCESCO MOLA: *El poeta.* Florencia, Palazzo Pitti

23 SALVATOR ROSA: *Demócrito.* Copenhague, Real Museo de Bellas Artes

atrajo a un ilustre imitador en la persona de Salvador Rosa, cuyo *Demócrito* (fig. 23) es más una relectura libre de la estampa. Una copia más exacta es la de Mola quien, aparentemente, era un gran admirador de Ribera (fig. 24).

A través de sus estampas Ribera logró establecer una esfera de influencia artística en Italia y España a lo largo del siglo XVII más amplia que la que hubiera logrado sólo con sus pinturas. Gracias a su popularidad entre otros grabadores las estampas de Ribera y sus copias estuvieron al alcance de un amplio sector del público internacional. Las estampas de Ribera parecen haber ofrecido una concepción definitiva de los temas tratados, sobre todo para los pintores de segunda fila, aunque no sólo para ellos, sino para maestros de gran altura. La energía de sus estampas y el preciso control de la luz y la textura añadían interés a las fórmulas compositivas y conseguían que fueran absorbidas por la corriente del arte barroco desde la que llevaron el mensaje del arte de Ribera hasta esos rincones del mundo a los que no hubiera llegado de otra manera. Gracias a sus estampas Ribera se convirtió en uno de los artistas más conocidos, admirados e imitados de su tiempo, logrando así lo que fuera su principal meta al convertirse en grabador.

1 Bartsch 1820, XX, 78; Kristeller 1911, 410; Hind 1922, 157.

2 In a letter of 1635, Ribera's patron, the Duke of Alcalá, wrote that Ribera had begun to etch while the Duke was in Rome (Saltillo 1940-1941, 246-247). It is likely that Ribera did learn the basic techniques of etching there, but this knowledge would have been acquired before 1625, when the Duke first came to Rome, because Ribera is documented there in 1615 (Chenault 1969, 560). Furthermore, two prints are dated in 1621.

3 The authenticity of the print is skillfully defended by Sopher 1978, no. 158.

4 Interesting, though perhaps circumstantial, evidence of the close chronological relationship is found in a counterproof of this print in Boston, MFA (H. P. D. Collection 13842), which was taken on the verso of a fine impression of *Saint Jerome and the Trumpet*. This unusual occurrence seems to corroborate that no. 5 was made after no. 4. In addition, it permits us to imagine the «corrected» version being elaborated on the verso of the first study. But, in the end, it must be admitted that the time interval between the two impressions can never be conclusively ascertained.

5 For the iconography, see Cat. no. 3.

6 Trapier 1952, 24, first drew attention to the connection between Carracci and Ribera. She also states her belief that Ribera based his technique on that of Parmigianino. However, Parmigianino's draftsmanly style of etching was perhaps too monotonous to have inspired Ribera in his quest for a means to translate the strong contrasts of chiaroscuro painting to the print. For Carracci's prints, see De Grazia, 1979.

7 Gombrich 1969, 156-172, discusses the origins and development of printed instructional manuals in the early seventeenth century.

8 Odoardo Fialetti (after Agostino Carracci), *Il vero modo ed ordine per disegnar* (1608); Olivieri Gatti (after Guercino), *Primi elementi per introdurre i giovani al disegno* (1619), to which Ribera's prints are very similar. Both books are discussed by Gombrich 1969, 161-162.

9 See Konečný 1980, for a concise, illuminating discussion of this print and its relation to the tradition of the representation of grotesque subjects in the Renaissance.

10 Konečný 1980, 93-94, note 9. For another comparable grotesque head, see the anonymous drawing (late sixteenth century Italian?) in the Pennsylvania Academy of the Fine Arts, PAFA 283.

11 See Brown 1982, 88, note 17.

12 Philibert Emmanuel of Savoy (April 16, 1588-August 4, 1624) was a nephew of Philip III of Spain, whom he served with distinction as a soldier and statesman. He commanded Spanish armed forces as Admiral of the Fleet in naval engagements against the Turks in 1614, and was employed as an informal Minister of Italian Affairs. He was appointed viceroy of Sicily in 1620. For his life, see *Enciclopedia Italiana*, XXX, 1936, 961; Bertolotti 1830, 85 and 97.

13 Trapier 1952, 43, notes that the source of the composition was an engraving by Annibale Carracci (B. 18).

14 Trapier 1952, 102, first noted the self-quotation.

15 Trapier 1952, 102. For Ribera's relationship with this important patron, see Brown and Kagan 1987.

16 Darby 1953, 68-69, note 1.

17 The painting; was rediscovered and published by the Marqués de Lozoya 1964, 1-5.

18 This hypothesis is advanced by Darby 1953, 71, and partly supported by Felton 1976, 34, who, however, recognizes the importance of the changes made by Ribera when adapting the composition of a painting to a print.

19 Felton 1976.

20 See Pérez Sánchez 1978; Felton 1976, 35; and Spinosa 1979, 94-95, nos. 21-24, for views on the authenticity of these works, which are datable to ca. 1616-20.

21 Felton 1976, 31-34 and 1982, accepts the painting as authentic. Like Spinosa 1979, 129-30, no. 262, I believe that the execution is too stiff and clumsy to be attributable to Ribera and that the painting and the related preparatory drawing are probably copies of the work described by De Domenici.

22 The identity of this picture has been much discussed, but without conclusive results. For a summary of the opinions and the relevant references, see Spinosa 1979, 98, no. 38 and 140, no. 411. The proposal that the print reflects this lost composition, like the others advanced so far, is hypothetical and circumstantial. However, if we accept that most of the figure compositions in the prints are based on pictures, and that the print could have been executed around 1620, then the *Lamentation* is entitled to consideration as a possible reflection of the painting mentioned by Mancini.

23 Brown 1973, 159, no. 8. To my mind, the drawing is more closely related to the print than to any picture of the subject, including the version in the Galleria Pallavicini, Rome, which in any case is a debatable attribution (see Spinosa 1979, 93, no. 18, for a discussion of the problem).

24 On Wyngaerde, see Cat. no. 5 and the following: Nagler, *Monogrammisten*, 1860, II, 872-873 and 924; Valentiner 1932, 114-121; and Thieme-Becker 1946, XXVI, 322. Wyngaerde published editions of the following prints by Ribera: nos. 5-11. It may be a coincidence that all the plates acquired by Wyngaerde were early prints done 1621-1622, or perhaps Ribera sold them either directly or through an intermediary after he had lost interest in making further impressions.

25 De Rossi was a member of an important family of Roman print publishers. In 1738, the De Rossi stock of plates was acquired by Pope Clement XII, and became the basis of the Calcografia Nazionale, Rome.

26 For the Mariette family, see Lugt 1921, no. 1787; Weigert 1953, 167-188; and Paris, Mariette 1967, 168-169 (by Weigert).

27 See cat. no. 31 for list of Ribera prints collected by Pierre Mariette II.

28 For the development of the iconography, see Rice 1985, 165-72.

29 As, for example, in a late sixteenth-century drawing by Aegidius Sadeler, British Museum 5211-47.

30 Spear 1982, 126.

31 Zurbarán's use of the Ribera print was noted by Caturla 1959, 342-345. Wethey 1955, 182, connected the anonymous *Saint John the Evangelist* with the prints.

32 Ribera's influence on the later works of Mola is discussed by Czobor 1968, 570-571.

33 For example of ruled impressions, see the following: *Penitence of Saint Peter*, Madrid, Biblioteca Nacional 43424; *Drunken Silenus*, Madrid, Biblioteca Nacional 43425; and *Martyrdom of Saint Bartholomew*, Naples, Capodimonte.

34 Mayer 1923 gives lists of copies when discussing the prints. For a Bohemian artist who employed the print, see Stepanek 1984.

35 For this painting, see Schnapper 1974, 384.

36 See Estella 1966, 201.

1 Bartsch 1820, XX, 78; Kristeller 1911, 410; Hind 1922, 157.

2 En una carta de 1635 el protector de Ribera, el Duque de Alcalá, escribía que Ribera había empezado a grabar mientras el Duque estaba en Roma (Saltillo 1940-1941, 246-47).
Es posible que el artista aprendiera la técnica básica del grabado allí aunque tuvo que ser antes de 1625, año en que el Duque visitó Roma por vez primera, ya que hay pruebas documentales que verifican la presencia de Ribera en 1615 (Chenault 1969, 560). Además, dos estampas están fechadas en 1621.

3 La autenticidad de la estampas es magníficamente defendida por Soper 1978, núm. 158.

4 Una prueba interesante, aunque tal vez circunstancial, de la relación cronológica aparece en un ejemplar de esta estampa conservada en Boston, BOS (H. P. D. Collection 13842) que se realizó al dorso de una estupenda estampación de *San Jerónimo y la trompeta.* Esta extraña circunstancia parece corroborar que el núm. 5 se realizó antes que la núm. 4. Además nos permite imaginar la versión «corregida» que ha sido reelaborada al dorso de su primer estudio. Sin embargo, al final hay que admitir que es imposible determinar de forma definitiva el intervalo de tiempo que media entre las dos estampaciones.

5 Para la iconografía, *vide,* Cat. núm. 3.

6 Trapier 1952, 24 fue la primera que llamó la atención sobre la relación existente entre Carracci y Ribera. También explica cómo para ella la técnica de Ribera está basada en la de Parmigianino. En todo caso, el estilo de Parmigianino en el grabado al aguafuerte, muy dibujístico, era tal vez demasiado monótono como para haber inspirado a Ribera en su búsqueda de un medio a la hora de trasladar al grabado los fuertes contrastes de claro-oscuro de la pintura. Para más información sobre las estampas de Carracci *vide* De Grazia, 1979.

7 Gombrich 1969, 156-172 discute los orígenes y desarrollo de las cartillas de dibujo publicadas a principios del siglo XVII.

8 Odoardo Fialetti (basado en Agostino Carracci), *Il vero modo ed ordine per disegnar* (1608); Olivieri Gatti (basado en Guercini), *Primi elementi per introdurre i giovani al disegno* (1619) a lo que se parecen mucho las estampas de Ribera. Ambos libros fueron comentados por Gombrich 1969, 161-162.

9 *Vide* Konečný 1980 para una discusión concisa y esclarecedora de esta estampa y sus ralaciones con la tradición de las representaciones de temas fantásticos en el Renacimiento.

10 Konečný 1980, 93-94. nota 9, Otra cabeza grotesca comparable es un dibujo anónimo (¿finales del XVI italiano?) conservado en la Academia de Bellas Artes de Pensilvania, PAFA, 283.

11 *Vide* Brown 1982, 88, nota 17.

12 Filiberto Manuel de Saboya (16 de abril de 1588-4 de agosto de 1624) era sobrino de Felipe III de España, a quien sirvió con honores como soldado y estadista. Estuvo al frente del ejército español como almirante en las batallas navales contra los turcos de 1614 y fue encargado del Consejo de Italia de forma extraoficial. Fue nombrado virrey de Sicilia en 1620. Para más detalles sobre su vida *vide Enciclopedia Italiana*, XXX, 1936, 961; Bertolotti 1830, 85 y 97.

13 Trapier 1952, 43, apunta que la fuente de esta obra es una estampa de Aníbal Carracci (B. 18).

14 Trapier 1952, 102, llamó la atención por primera vez sobre la utilización de un tema suyo.

15 Trapier 1952, 102. Para más detalles sobre su relación de Ribera con su influyente protector *vide* Brown y Kagan 1987.

16 Darby 1953, 68-69, nota 1.

17 La obra fue descubierta y publicada por el Marqués de Lozoya 1964, 1-5.

18 Esta hipótesis la plantea Darvy 1953, 71 y es apoyada en parte por Felton 1976, 34, quien, de todos modos, reconoce la importancia de los cambios llevados a cabo por Ribera al pasar la obra de la pintura a la estampa.

19 Felton 1976.

20 *Vide* Pérez Sánchez 1978; Felton 1976, 35, y Spinosa 1979, 94-95, núms. 21-24 para más detalles sobre los puntos de vista sobre la autenticidad de estas obras que pueden ser fechadas hacia 1616-20.

21 Felton 1976, 31-34 y 1982, 50, admite la autenticidad de la pintura. Al igual que Spinosa 1979, 129-30, núm. 262, estimó que la realización es demasiado rígida y torpe para ser atribuida a Ribera y que el cuadro y el dibujo preparatorio relacionado con el mismo son posiblemente, copias de la obra que describe De Dominici.

22 La identidad de este cuadro ha sido muy discutida aunque sin conclusión clara. Para un resumen de las opiniones y las referencias más importantes *vide* Spinosa 1979, 98, núm. 38 y 140, núm. 411. La idea de que esta estampa sea reflejo de la obra perdida es, igual que todas las propuestas hasta ahora, hipotética y circunstancial. De todos modos, si aceptamos que la mayoría de las composiciones con figuras de las estampas están basadas en cuadros y que esta estampa pudo ser realizada hacia 1630, entonces se podría considerar *La lamentación* como un posible reflejo de la obra que menciona Mancini.

23 Brown 1973, 159, núm. 8. Desde mi punto de vista, el dibujo está más cerca de la estampa que ninguna otra representación del tema, incluida la versión de la Galería Pallavicini de Roma que, en todo caso, es una atribución muy discutible. *(Vide* Spinosa 1979, 93, núm. 18 donde se comenta el problema).

24 Sobre Wyngaerde, *vide* Cat. núm. 5 y las siguientes obras: Nagler, *Monogrammisten,* 1860, II, 872-873 y 924; Valentiner 1932, 114-121; y Thieme-Becker 1946, XXVI, 322. Wyngaerde publicó ediciones de las siguientes estampas de Ribera: núms. 5-11. Tal vez es una coincidencia que todas las láminas de cobre adquiridas por Wyngaerde fueran de las primeras, realizadas en 1621-22, aunque también es posible que Ribera se las vendiera directamente o a través de algún intermediario al perder el interés de hacer nuevas estampaciones.

25 De Rossi era miembro de una importante familia de impresores romanos. En 1738 las láminas de De Rossi fueron compradas por el Papa Clemente XII y se convirtieron en la base de la Calcografía Nacional de Roma.

26 Para más datos sobre la familia de Mariette *vide* Lugt 1921, núm. 1787; Weigert 1953, 167-188; París, Mariette 1967, 168-169 (de Weigert).

27 *Vide* Cat. núm. 31 para una lista de las estampas de Ribera coleccionadas por Pierre Mariette II.

28 Para el desarrollo de la iconografía, *vide* Rice, 1985, 165-72.

29 Como, por ejemplo, en el dibujo de finales del siglo XVI realizado por Aegidius Sadeler, Museo Británico, 5211-47.

30 Spear 1982, 126.

31 La utilización de la estampa de Ribera por Zurbarán fue puesta en evidencia por Caturla 1959, 342-345. Wethey 1955, 182 encontró un punto de contacto entre el San Juan Evangelista anónimo y las estampas.

32 La influencia de Ribera en los últimos trabajos de Mola se comenta en Czobor 1968, 570-571.

33 Como ejemplos de estampas con cuadrícula, *vide* los siguientes: *Las lágrimas de san Pedro,* Madrid, Biblioteca Nacional, 43424; *Sileno borracho,* Madrid, Biblioteca Nacional, 43423; y *El martirio de san Bartolomé,* Nápoles, Capodimonte.

34 Mayer 1923, ofrece una lista de las copias cuando comenta las estampas. Para un artista de Bohemia que también utilizó las estampas, *vide* Stepanek, 1984.

35 Más datos sobre esta obra en Schnapper 1974, 384.

36 *Vide* Estella 1966, 201.

CATÁLOGO CRÍTICO DE LAS ESTAMPAS DE RIBERA
Jonathan Brown

Catalogue raisonné of Ribera's Prints (97)

Aunque las estampas de Ribera han sido alabadas a menudo por los historiadores del grabado, no han sido objeto de un catálogo crítico hasta 1973. La primera lista de estampas que no se limita a una mera referencia es obra de De Dominici (1742, 17) en la que se mencionaban siete estampas, una de las cuales, *Baccanale con Bacco trionfante e Sileno,* al parecer se confundió con una estampa aún no identificada basada en un cuadro de la Galería Farnese. Su atribución de unos grabados a buril juveniles basados en la obra de Guercino se debía a la interpretación equivocada de una colección de obras basadas en composiciones de Ribera y Guercino publicada en Amsterdam hacia 1700 (Cat. núm. 32). Algunos años más tarde Dézallier d'Argenville (1745, 237) atribuyó «*environ vigt-six pièces*» a Ribera, si bien mencionaba sólo veinte de las mismas. Ocho se aceptan ahora como piezas de Ribera, pero las otras doce, «*un livre de portraiture de douze feuilles*», parecen haber sido confundidas con otra colección de copias de estampas basadas en la obra de Ribera (Cat. núm. 33). El número 26 también aparece citado por Gori Gandellini (1771-III, 157-158) que dio nombre a veintitrés de ellas, aunque desgraciadamente, se limitó a mezclar la información errónea que encontró en De Dominici y Dézallier d'Argenville añadiendo sólo *Las lágrimas de san Pedro* y *Un sátiro atado a un árbol* (tal vez Cat. núm. 18), y una estampa apócrifa, un *San Jenaro.* Un paso adelante en el intento de publicar la obra fue dado por Huber (1800, III, 294-96). Su lista de once estampas está compuesta sólo por atribuciones plausibles siendo *El poeta* la mayor novedad, asociándose además, *La lamentación* a Ribera por primera vez. El catálogo de Huber fue copiado en la edición de 1814 de Gori Gandellini que realizó De Angelis formando al mismo tiempo la base para el catálogo de Bartsch de 1820, casi definitivo.

El estudio de Bartsch (págs. 75-88 del volumen XX de *Le peinture-graveur* ha sobrevivido durante casi ciento cincuenta años como la máxima autoridad en el tema y con toda la razón, pues en este trabajo Bartsch identificó por primera vez casi toda la obra de Ribera y el hecho que sólo una de las dieciocho estampas se pueda poner en tela de juicio da una buena muestra de su ojo de experto. El punto débil de este estudio es la falta de marco cronológico y el que no distinga los distintos estados de las estampas con suficiente precisión, aunque también se podría decir con toda razón que este último error es excusable ya que Ribera casi nunca revisaba sus estampas. Los últimos estados eran, normalmente, obra de los editores que trataban de prolongar la vida de los cobres para sacar más partido de ellos, si bien merece la pena llevar a cabo el esfuerzo de determinar con exactitud dónde acabó Ribera y empezaron los demás.

La necesidad de un catálogo más exacto y detallado fue reconocida algunos años más tarde por otro gigante de la historia enciclopédica del arte: G. K. Nagler. En su capítulo dedicado a Ribera en el *Neues allgemeines Kunstler-Lexicon* (1843, XIII, 103-107), Nagler revisó el catálogo de Bartsch identificando algunos estados adicionales. El fue también el primero en reconocer la importancia de las copias basadas en las estampas de Ribera y ofreció algunas descubiertas por él. A Nagler también se le deben contribuciones adicionales al conocimiento de las estampas en varios volúmenes de su gran obra, *Die Monogrammisten* (I, 1858, núm. 242; III, 1863, núm. 366 y 322; IV, 1864, núms. 329 y 3641; V, 1879, núm. 11). Más tarde, en el siglo XIX, J. E. Wessely llegó a un mayor afinamiento al identificar los estados, sobre todo en *Supplemente zu den Handbuchern der Kupferstichkunde* de 1882. El cuarto estudio de relevancia sobre las estampas de Ribera es la monografía de August Mayer, aparecida por vez primera en 1908. Este catálogo es, con mucha diferencia, el estudio más detallado del tema, pero se le ha ignorado porque apareció en un libro dedicado fundamentalmente a la pinturas de Ribera. Estos cuatro trabajos, por lo tanto, además de unos cuantos estudios especializados sobre las estampas en particular, que serán mencionados cuando se considere oportuno, forman la base del presente catálogo. Además, he visitado las mayores colecciones de estampas de Europa Occidental y los Estados Unidos, al igual que otras menores, para verificar y ofrecer, en aquellos casos que era posible, la lista de los estados y copias desconocidos.

Para evitar confusiones en futuras referencias a las dos ediciones de este catálogo he mantenido la misma numeración que en 1973. Al haber aceptado la autenticidad de dos estampas que fueron rechazadas en la primera edición (núms. 17 y 18) el catálogo no sigue el orden cronológico. El criterio utilizado a la hora de fechar las estampas se ve reflejado en el estudio introductorio y no se repite en cada uno de los casos. Por su conveniencia y para que resulte una referencia fácil se incluye como apéndice una concordancia entre este catálogo y el de Bartsch. Después de la des-

cripción de cada una de las estampas se ofrece por lo menos el nombre de una colección pública en la que se encuentran estampaciones en buen estado aunque la mención de una sola colección no quiere decir que no se encuentren otros ejemplares en otros lugares. Las estampaciones únicas se indican con la palabra «sólo» después de la abreviatura de la colección, cuya clave de abreviaturas precede a este catálogo. Las referencias bibliográficas se dan de manera abreviada con el autor, el año de publicación y el número de la página teniendo acceso a los títulos completos y a las fechas en la Bibliografía que se incluye al final de este libro. No he tratado de citar toda la bibliografía referida a cada estampa sino que he dado aquella que requería una ulterior discusión en este catálogo. Las dimensiones vienen dadas en milímetros, la altura antes que la anchura. Las medidas corresponden a la de huella dejada sobre el papel al ser estampada la lámina de cobre, salvo en aquellos casos en que se han encontrado sólo estampaciones con los márgenes muy recortados. En esos casos la palabra «línea de encuadre» sigue a las dimensiones e indica que la estampa ha sido medida a lo largo de este perímetro. Las indicaciones de la dirección se dan desde el punto de vista del espectador salvo en el siguiente caso: «la mano derecha del santo», etc., que se refiere a la orientación del sujeto mencionado.

A—Amsterdam, Rijksmuseum.
AC—Madrid, Antonio Correa.
B—Berlín, Staatliche Museen, Preussischer Kulturbesitz, Kupferstichkabinett.
BIAA—París Bibliothèque de l'Institut d'Art et d'Archéologie.
BM—Londres, The British Museum.
BNM—Madrid, Biblioteca Nacional.
BNP—París, Bibliothèque Nationale.
BOS—Boston, The Museum of Fine Arts.
BPR—Madrid, Biblioteca del Palacio Real.
BR—Bruselas, Bibliothèque Royale.
C—Colonia, Wallraf-Richartz Museum.
CI—Madrid, Carlos Ibáñez.
CN—Roma, Calcografia Nazionale.
EHF—Londres, Enriqueta Harris Frankfort.
F—Florencia, Gabinetto delle Stampe, Galleria degli Uffizi.
FI—Filadelfia, The Museum of Art.
FLG—Madrid, Fundación Lázaro Galdiano.
HSA—Nueva York, Hispanic Society of America.
IN—Roma, Istituto Nazionale per la Grafica.
M—Munich, Staatliche Graphische Sammlungen.
MMA—Nueva York, The Metropolitan Museum of Art.
N—Nápoles, Museo di Capodimonte.
NYPL—Nueva York, The New York Public Library.
R—Rotterdam, Museum Boymans-van Beuningen.
V—Viena, Graphische Sammlung Albertina.
VA—Londres, The Victoria and Albert Museum.

1

SAN SEBASTIÁN

89 x 70 mm. Aguafuerte. Hacia 1620.
Colecciones: A, BNP, V.
Bibliografía: B. 2; Brown 1973, núm. 1.

Esta estampa de reducido tamaño y una de las primeras de Ribera, fue identificada por Bartsch y ha sido ratificada posteriormente por la mayoría de los investigadores. Hay pocos ejemplares.

Cat. núm. 1
SAN SEBASTIÁN. París, Bibliothèque Nationale

2

SAN BERNARDINO DE SIENA

89 x 72 mm. (línea de encuadre). Aguafuerte. Hacia 1620.
Colecciones: BNP (Côte A.A. 2) sólo.
Bibliografía: Brown, 1973, núm. 2.

Esta estampa fue atribuída a Ribera por Brown 1973. Debido al tamaño y la técnica, está estrechamente ligada a la núm. 1. La única estampación hasta ahora descubierta está en la BNP.

3

EL POETA

161 x 124 mm. Aguafuerte. Hacia 1620-21.

Colecciones: A, BM, MMA, V, EHF.

Copias:

1. Aguafuerte invertido sin fecha ni firma. 152 x 115 mm. (línea de encuadre). BNM, BNP, F.
2. Buril invertido, portada de *Sumen picturae et delineationes* de Frederic de Wit (Amsterdam, hacia 1660).
3. Núm. 31, XXIV.
4. Núm. 33, I.
5. Núm. 35, I.
6. Núm. 36, XXIV.

Bibliografía: B. 10; Woermann 1890, 1590; Stechow 1957, 79-72; Brown 1957, 69-72; Brown 1973, núm. 3; Palm 1975, 23-27; Moffitt 1978, 75-90.

En las primeras estampaciones las sombras son mucho más abundantes y profundas, sobre todo alrededor de la cara, donde la tinta está casi incrustada entre las líneas (A, M, MMA, V). En la parte baja de la piedra y en el trozo de cielo entre la rama y la parte superior del árbol aparece una cantidad considerable de punteado que parece ser resultado de un mordido sucio, si bien contribuye al refinamiento tonal de la estampa. A veces se encuentran estampaciones en papel moderno (NYPL, FI), lo que indicaría que la lámina de cobre sobrevivió hasta el siglo XIX. Woermann 1890, 150, ha sido el único que ha rechazado esta atribución.

Palm 1975, identifica al poeta con Virgilio. Moffitt 1979, rechaza esta hipótesis de forma convencida y propone el nombre de Dante. La erudita discusión del árbol «marchito y sin embargo floreciente» es interesante pero no está muy clara su aplicación a la hora de interpretar la estampa, ya que este motivo es utilizado a menudo por Ribera en contextos muy diferentes. Además, no consigo distinguir con claridad el birrete que, según Moffitt, lleva el poeta. Yo estimo que tiene la cabeza descubierta, por lo que sigo aceptando la interpretación tipológica presentada por S. Stechow en 1957. Con una base bastante débil Spike 1982, estima que su fecha son los años 30 del siglo XVII.

Cat. núm. 3
EL POETA. Nueva York, Metropolitan Museum of Art

4

SAN JERÓNIMO ESCUCHA LA TROMPETA DEL JUICIO FINAL (SAN JERÓNIMO Y LA TROMPETA)

325 x 246 mm. Aguafuerte con punta seca en el hombro derecho y buril. Firmado y fechado: ᛋᛏᚪ . 1621.

Colecciones: BOS, BM, MMA, V, BNP y AC.

Contrapruebas en: A; BNM y BNP.

Copia: Buril invertido. 330 x 250 mm. (línea de encuadre). Inscripción: *Mariette ex.* BNP.

Bibliografía: B. 5; Nagler, *Monogrammisten,* 1858, I, 242; Andresen 1873, II, núm. 3; Brown 1973, núm. 4.

Andresen habla de un segundo estado con una dirección (presumiblemente de Wyngaerde) aunque yo no he tenido ocasión de verlo. El cobre estaba muy raspado antes de la estampación, de tal manera que una serie de líneas largas, confusas y espaciadas son visibles en numerosos lugares. Las más destacadas son dos líneas paralelas que van de la muñeca del ángel hasta la pierna izquierda del santo. Otra va desde las nubes, a la izquierda hasta la parte inferior del pergamino, y también aparece una línea quebrada cerca del margen derecho empezando a 50 mm. de la parte superior. Hay además numerosos arañazos en diferentes zonas, resultado de un tratamiento descuidado de la lámina desde la primera vez que fue utilizada. Todas estas marcas son fácilmente visibles en las primeras estampaciones que son muy oscuras, volviéndose en las últimas estampaciones cada vez más débiles. En raras ocasiones (BNM, 46949) las líneas parecen haber sido borradas del cobre de tal manera que son casi invisibles. En las estampaciones tardías sólo sobreviven las líneas grabadas al aguafuerte en algunas zonas oscurecidas (por ejemplo en la zona triangular debajo de la mano izquierda del santo, entre los tobillos) dando una sensación falsa de retallado. El tema del santo sentado que se apoya sobre una roca puede derivar de la estampa de Aníbal Carracci, *Santa María Magdalena* (B. 16), si bien, como Posner apunta (1971, II, 28), esta postura parecía ser la más habitual en la copia del natural.

El monograma significa «*Ribera hispanus*». Nagler, *Monogrammisten,* lo interpretó incorrectamente como «*Josephus a Ribera*».

Cat. núm. 4
SAN JERÓNIMO Y LA TROMPETA. Nueva York, Metropolitan Museum of Art

5

SAN JERÓNIMO ESCUCHA
LA TROMPETA DEL JUICIO FINAL
(SAN JERÓNIMO Y EL ÁNGEL)

318 x 238 mm. Aguafuerte con buril en las sombras. Firmada
❦ ❦ . Hacia 1621.

I. Antes de las iniciales de Frans van Wyngaerde. BNM, HSA, MMA, V. Hay contrapruebas en BOS (H.P.D. 13842, al dorso del núm. 4) y NYPL.

II. Directamente debajo de la línea de encuadre inferior las iniciales *F. V. Wyn* añadidas de la siguiente manera: *F.*, en la esquina izquierda; *V.* en el centro; *Wyn.*, en la esquina derecha. BNP.

III. Iniciales como en el II. Retallada hábilmente con buril de la siguiente manera: debajo del hombro derecho, en el espacio entre el pliegue de los ropajes levantados y a la izquierda de la roca; líneas entrecruzadas en la pequeña área triangular formada por el lado izquierdo del estómago y la parte superior de la pierna; líneas entrecruzadas a lo largo del contorno derecho de los ropajes que caen de la rodilla derecha; en las sombras del codo del brazo izquierdo; en las sombras de la parte izquierda de la rótula derecha. También está retallada en el contorno interior del brazo izquierdo. Fl.

IV. Iniciales *F. V. Wyn.* borradas excepto un trocito de la parte superior de la V y la W, que casi tocan la línea de encuadre inferior. BNP; L. Baskin, Northampton, Mass.

V. Las iniciales *F. V. Wyn.* completamente borradas. BNM.

Copias:

1. Mayer 1923, 36, II, da cuenta de una copia invertida donde aparece *Mariette ex.*

2. Mayer 1923, 36, III, da cuenta de una copia en la misma dirección de C. Gallé.

Bibliografía: B. 4; Wessely 1882, 54, núm. 2; Mayer 1923, 36, I-III; Brown 1973, núm. 5; Felton 1976, 38-39; Spinosa 1979, 96.

SAN JERÓNIMO Y EL ÁNGEL. **(Cat. núm. 5, estado III).**
Filadelfia, The Museum of Art

Los tres estados de Wessely son los núms. I, II y V del presente catálogo. Mayer, incorrectamente, da F. W. como las iniciales del II.

Esta estampa fue, tal vez, la que tuvo una mayor circulación de todas las de Ribera a juzgar por el número de cuadros que están basados en ella. En las primeras estampaciones aparecen arañazos cortos y verticales en numerosos lugares, sobre todo en la esquina superior izquierda y en el cuerpo del ángel. Desaparecen en las últimas estampaciones del primer estado, mostrando el cobre un cansancio considerable en las sombras debajo del brazo derecho, a lo largo del lado izquierdo de la parte inferior del pecho y en la punta de los ropajes que caen de la rodilla izquierda. Después del estado I el cobre fue limpiado cuidadosamente y estampado en papel blanco para resaltar los contrastes de claro-oscuro. Las mejores estampaciones del estado I, no obstante, fueron realizadas en un papel grisáceo que produce sutiles contrastes tonales. Felton 1976, y Spinosa 1979, sostienen el año 1626 como fecha de su realización basándose en la conjetura que esta estampa es una variante del cuadro del Ermitage, fechado en 1626. Esta hipótesis parece admitir la idea que Ribera

Cat. núm. 5
SAN JERÓNIMO Y EL ÁNGEL. **(Estado I).** Nueva York, Hispanic Society of America

6

nunca realizaba variaciones en una composición una vez grabada, pero por lo menos en un caso, el *Martirio de san Bartolomé,* siguió retocando la composición una vez estampada. Teniendo en cuenta su costumbre de revisar las composiciones de algunos temas no hay ninguna razón intrínseca para pensar que una estampa no haya podido, a su vez, ser el punto de partida para otra versión del tema en una pintura. También habría que decir que un ángel con una trompeta aparece en una versión de la escena en la Colegiata de Osuna que podría fecharse en 1616-20 (Pérez Sánchez 1978). Por tanto, el tema no era nuevo en la obra de Ribera cuando se realizó la estampa, según mi opinión, hacia 1621.

Frans van Wyngaerde (1614-1679) era un grabador y editor de Amberes especializado en copias basadas en la obra de otros artistas. Su carrera como copista de grabados comenzó en 1636, al ser admitido en el gremio de Amberes. Como editor publicó estampas de Wilhelm Paneels basadas en Rubens, al igual que estampas de Jan Lievens, Cornel Mattue, Lucas van Uden y Gilles Neyts. El mismo realizó estampas basadas en Van Dyck y, sobre todo, en David Teniers. En un determinado momento consiguió siete láminas de Ribera que retalló allí donde era necesario y que estampó hasta que estuvieron casi completamente agotadas. Wyngaerde siempre colocaba las iniciales debajo de la línea de encuadre inferior, por lo tanto, si la estampa está muy recortada puede ser difícil identificar el estado. En todo caso, los estados de Wyngaerde se estampan siempre en papel beige o blanco y muestran un cansancio considerable. Se pueden distinguir muy claramente si se comparan con una de las primeras estampaciones, y la única confusión posible puede darse entre una estampación tardía del primer estado de Wyngaerde, pero en ningún caso tendrá la estampa excesiva calidad.

LAS LÁGRIMAS DE SAN PEDRO

325 x 246 mm. Aguafuerte con buril. Firmada y fechada: ✎ ✎. 1621 (invertida).

I. Antes de las iniciales de Frans van Wyngaerde. AC, BNP, BOS, BM, FLG, V. Contrapruebas en B y V.

II. Justo debajo de la línea de encuadre inferior las iniciales *F. V. Wyn* añadidas de la siguiente manera: *F.,* en la esquina izquierda; *V.,* en el centro, y *Wyn.,* en la esquina derecha. A, Fl.

Copias:

1. Aguafuerte sin monograma ni fecha. 318 x 237 mm. (línea de encuadre). (Mayer 1923, 33, IV). R.V.
2. Mayer 1923, 33, II, habla de una copia contemporánea con la inscripción «*Jusepe de Ribera spanol en Napoles*».
3. Mayer 1923, 33, III, habla de una copia con la inscripción «*le spagnolet inuent Napoli*».
4. Mayer, 1923, 33, V, habla de una copia grabada a buril por Carupion con un gallo añadido en la roca.
5. Núm. 31, XXIII.
6. Núm. 36, VI.
7. Núm. 36, XXIII.

Bibliografía: B. 7; Andresen 1873, II, 380, núm. 6; Wessely 1882, 54, núm. 4; Mayer 1923, 33, I-V; Brown 1973, núm. 6; Pérez Sánchez 1978, páginas sin numerar.

Bartsch menciona un solo estado, mientras Andresen indica el II, igual que Wessely. Además de las iniciales de Wyngaerde en el estado II, Wessely nota que las esquinas del cobre han sido redondeadas. De todos modos, no es éste el caso.

Las primeras estampaciones se distinguen por las sombras profundas, abundantes y oscuras, sobre todo en los ropajes. A veces se encuentran estampaciones de calidad del estado II, aunque la lámina aparece bastante cansada en el sombreado detrás de la oreja de san Pedro. Este es, de hecho, el mejor de los estados de Wyngaerde. Como era habitual en él, Wyngaerde utilizó papel beige en lugar del papel grisáceo preferido por Ribera.

Como Pérez Sánchez 1978, ha apuntado, la estampa está basada en la pintura de la Colegiata de Osuna (fig. 25) que se podría fechar hacia 1616-18. Un dibujo relacionado con la estampa se encuentra en una colección particular de París (fig. 26).

26 RIBERA: *Las lágrimas de san Pedro.*
París, Colección particular

25 RIBERA: *Las lágrimas de san Pedro.*
Osuna, Colegiata

Cat. núm. 6
LAS LÁGRIMAS DE SAN PEDRO. **(Estado I).** Londres, British Museum

7

ESTUDIOS DE OREJAS

145 x 219 mm. Aguafuerte. Firmada y fechada: ꟄPꟄꟄ . 1622; el número «4» al revés en la esquina inferior derecha.

I. Antes de cortar el cobre y añadir una firma falsificada a la izquierda y las iniciales de Frans van Wyngaerde. B, BM, EHF, V.

II. Iniciales *F. V. Wyn.* añadidas debajo de la línea de encuadre inferior a la izquierda; iniciales *F.V.W.* añadidas debajo de la línea inferior a la derecha. Una copia de la firma de Ribera, *Jusepe Ribera español,* grabada a buril en la mitad izquierda en el centro inferior dentro de la línea de encuadre. Una muesca sin entintar de 1 mm. de anchura, que indica por dónde hay que cortar la plancha, recorre la estampa verticalmente. Sólo A.

III. Cobre dividido en dos partes:
    a. Mitad izquierda (145 x 122 mm.). No hay línea de encuadre a la derecha. B, V.
    b. Mitad derecha (145 x 107 mm.). No hay línea de encuadre a la izquierda. B, V.

Copias:

1. Imitación parcial a buril que presenta dos orejas en el centro y en la parte superior derecha. 146 x 220 mm. B, F. La única relación es el tema tratado.
    a. Segundo estado con una inscripción añadida: *Gioseppe de riuera Spanuolo fece a bolino.* Rodríguez Moñino consideraba esta estampa como una prueba de estado del original. BNM, N.

2. Imitación a buril. Seis orejas colocadas en filas de tres. 204 x 145 mm. F.

3. Núm. 30, VIII.

4. Núm. 30, IX.

5. Núm. 33, III.

6. Núm. 36, VIII.

7. Núm. 36, IX.

Bibliografía: B. 17; Palomino 1947, 466; De Dominici 1742, 17; Gori Gandellini 1771, 157; Orellana 1930, 179; Ceán Bermúdez 1800, IV, 189; Nagler, *Lexicon,* 1843, XIII, 106; Wessely 1882, 54, núm. 5; Mayer 1923, 45, 56-57; Trapier 1952, 29; Rodríguez Moñino 1965, 24; Brown 1973, núm. 7.

27 RIBERA:
Estudio de murciélago y orejas.
Nueva York,
Metropolitan
Museum of Art

El estado II, no mencionado antes de 1973, debe ser una prueba realizada por Wyngaerde para determinar el punto por donde cortar el cobre. La estampación de Amsterdam es la única hasta el momento; no obstante, hay por lo menos tres estampaciones de este estado de la núm. 9, también cortada por Wyngaerde, lo que sugeriría que no se hizo una sola estampación de este estado de la lámina.

Los números 7 al 9 se han considerado tradicionalmente como vestigios de una cartilla de dibujo para principiantes que Ribera empezó, pero dejó incabada. Parece que el origen de la idea es un comentario de Palomino de 1715: «Dexó entre otros papeles de su mano una célebre escuela de principios de la Pintura...» Palomino no asociaba estos «papeles» con estampas, pero Orellana unió los «principios» con un libro de estampas grabadas al buril basadas en las de Ribera y que incluían los números 7 al 9 (Cat. núm. 31): «Haverse sus principios estampado en Paris el año 1650 en casa de Pedro Mariette...» La identificación equivocada de un proyecto comercial, que quería capitalizar la popularidad de las estampas de Ribera, con una cartilla de dibujo del artista, se fijó en la mente de los estudios posteriores. Ceán Bermúdez escribió que un tal Francisco Fernández «grabó al aguafuerte unos principios de diseño, sacados de las estampas y grabados de Ribera; y el año de [1]650 se publicó en París un quaderno de estos mismos principios con el título *Livre de portraiture...*» Ceán aumentó la confusión al confundir al grabador francés Louis Elle Ferdinand con el pintor español Francisco Fernández *(vide* núm. 30). Nagler complicó aún más la cuestión identificando los núms 7 a 9 como partes de un libro titulado *Tabulae de institutionibus praecipuis ad picturam necesariis ac inventae per Josephum River Spaniolette et Jacomo Palma, Gerardus Valck Excudit op den Dam-toto Amsterdam.* El título llama al libro de forma explícita cartilla de dibujo y, de hecho, en

él se encuentran copias de las estampas grabadas al buril de los números 7 y 8. Pero, como apuntó Mayer, el libro era obra de Gerrit Valck (1651-1726), un editor de Amsterdam responsable de la reimpresión del *Livre de portraiture* de Louis Ferdinand. Las estampas basadas en Ribera en las *Tabulae* habían sido sencillamente sacadas de las primeras series. Mayer también identificaba las llamadas obras basadas en Palma como copias de Guercino y esta identificación, correcta sin duda, explica las aserciones equivocadas de De Dominici y Gori Gandellini respecto a las obras grabadas a buril que el joven Ribera hizo basadas en Guercino.

En pocas palabras, la identificación accidental de la colección de copias basadas en Ribera con una supuesta cartilla de dibujo está basada en la idea que los núms. 7 a 9 formaban originalmente parte de un proyecto pedagógico proyectado por Ribera.

No obstante, no es posible desechar la idea aunque haya sido fruto de un razonamiento equivocado puesto que la pregunta sigue planteada: ¿por qué se realizaron estas estampas? Como Trapier ha apuntado, en el *Estudio de orejas* se ve un número «4» invertido en la esquina inferior derecha que parece escrito por Ribera. La presencia de este número implica que una cuarta estampa debió existir en algún momento. La comunicación verbal de Andrew Robinson ha resuelto el problema de la cuarta estampa al observar que debía estar en el cobre donde ahora está grabada (la *Cabeza grotesca grande* núm. 11). Como Robinson ha apuntado, los restos de un ojo parcialmente borrado siguen siendo visibles en la estampa cuando se mira de lado y, más aún, ha notado cómo las dimensiones corresponden casi exactamente al tamaño de las «hojas de estudios», a pesar de ser el formato de la estampa vertical en lugar de horizontal. Por tanto, es posible que en algún momento existieran las cuatro láminas de estudios y que fueran el principio de un proyecto que jamás fue terminado.

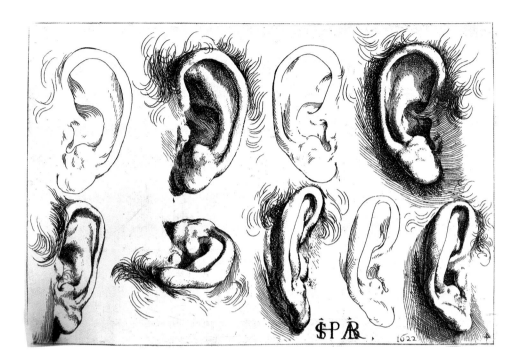

Al plantear una serie de ejercicios didácticos, Ribera estaba siguiendo la tradición del siglo XVI, momento en que estampas comparables fueron realizadas por Palma el Joven (B. 2-27) y Battista Franco. Trapier cita colecciones semejantes de estampas de estudios realizadas en el siglo XVII por Fialette, Reni y Guercino, o basadas en sus obras. Además, Luca Ciamberlino y Francesco Ricci ejecutaron ochenta y una estampas basadas en ideas de Agostino Carracci (B. XVII, págs. 159-170), algunas de las cuales son muy parecidas a las de Ribera, a pesar de haber sido realizadas en fecha más tardía. Stefano della Bella también realizó, años más tarde, dos «libros de dibujo» con algunas estampas basadas en las de Ribera (De Vesme 292-307 y 364-388). Las cartillas de dibujo para artistas principiantes eran un interés reconocido en la tradición del Renacimiento, pero normalmente esos tratados estaban acompañados de un texto que ilustraba las estampas, pues sin el texto, el valor de las estampas se limitaba a un material que podían copiar los jóvenes artistas. En cualquier caso, la idea de Ribera de realizar un libro de modelos parece que murió mientras nacía. Debemos suponer que se le ocurrió la idea fugazmente —después de todo era un dibujante entregado a su tarea— pero que, después de realizar cuatro estampas de la serie, decidió no continuar.

Un dibujo conservado en el Metropolitan Museum (Rogers Fund 1972, 17, fig. 27) es el estudio preparatorio de esta estampa.

Cat. núm. 7
ESTUDIOS DE OREJAS. **(Estado I).** Londres, British Museum

8

ESTUDIOS DE OJOS

145 x 218 mm. Aguafuerte. Grabado al aguafuerte por otra mano: *Josephf Ribera español.* Hacia 1622.

I. Antes de cortar el cobre y añadir una firma falsa a la izquierda de las iniciales de Frans de Wyngaerde. BM, EHF, V.

II. Iniciales *F. V. Wyn* añadidas debajo de la línea de encuadre inferior a la izquierda; iniciales *F. V. W.* añadidas debajo de la línea de encuadre inferior a la derecha. Firma falsificada *Joseph Ribera español* grabada en la parte inferior a la izquierda, dentro de la línea de encuadre. Una muesca de 1 mm. de anchura sin entintar, que indica por dónde hay que cortar el cobre, recorre la estampa verticalmente. Sólo A.

III. Lámina de cobre divida en dos partes.
  a. Mitad izquierda (145 x 96 mm.). No hay línea de encuadre a la derecha BNP, V.
  b. Mitad derecha (145 x 122 mm.). No hay línea de encuadre a la izquierda. BNP, V.

Copias:
1. Núm. 30, III.
2. Núm. 30, IV.
3. Núm. 33, II.
4. Núm. 36, III.
5. Núm. 36, IV.

Bibliografía: B. 15; Wessely 1882, 95, núm. 5; Mayer 1923, 45; Brown 1973, núm. 8.

Para el estado II, *vide* núm. 7.

Para un análisis sobre la finalidad de la estampa, *vide* núm. 7.

La firma que aparece en la mitad derecha de la estampa no corresponde a la forma habitual en que Ribera escribe su nombre. En primer lugar, la «f» al final del nombre no es correcta; en segundo, se ha omitido el «de», que parece fue utilizado por él siempre. Además, la caligrafía tiene algo de indescifrable y forzado, característica típica de las copias. En todo caso, no se han encontrado todavía estampaciones donde no aparezca, si bien debe existir ese estado preliminar. De este modo, es imposible saber si se trata de una adición posterior o si fue sencillamente escrita por otra persona en el momento de la realización, aunque esto sea muy poco probable.

Cat. núm. 8
ESTUDIOS DE OJOS. **(Estado I).** Londres, British Museum

71

9

ESTUDIOS DE NARIZ Y BOCA

139 x 213 mm. Aguafuerte. Grabado al aguafuerte por otra mano: *Joseph Ribera español*. Hacia 1622.

I. Antes de cortar el cobre y añadir la firma falsificada a la izquierda y las iniciales de Frans van Wyngaerde. BM, EHF, R, V.

II. Firma falsificada *Joseph Ribera español* añadida a buril en la esquina inferior izquierda dentro de la línea de encuadre. Una muesca de 1 mm. de anchura que indica por dónde hay que cortar el cobre, recorre la estampa verticalmente. A, Fl.

III. Lámina de cobre dividida en dos partes.
    a. Mitad izquierda (139 x 112 mm.). *F. V. W.* añadido debajo de la línea de encuadre. No hay línea de encuadre a la derecha. B. V. Madrid. Colección privada.
    b. Mitad derecha (139 x 111 mm.). *F. V. Wyn.* añadido debajo de la línea de encuadre. No hay línea de encuadre a la izquierda. B, V. Madrid. Colección privada.

Copias:
1. Grabado a buril de dos bocas abiertas con el número «5» en la esquina inferior derecha. 145 x 191 mm. (línea de encuadre). BNP.
2. Núm. 30, VI.
3. Núm. 30, VII.
4. Núm. 33, IV.
5. Núm. 35, IV.
6. Núm. 36, VI.
7. Núm. 36, VII.

Bibliografía: B. 16; Wessely 1882, 54, núm. 5; Mayer 1923, 45; Trapier 1952, 275, nota 27; Brown 1973, núm. 9.

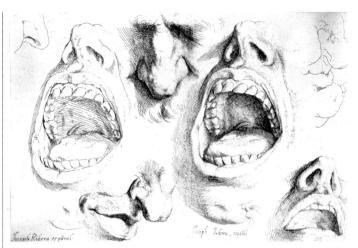

ESTUDIOS DE NARIZ Y BOCA. **(Cat. núm. 9, estado II).**
Filadelfia, The Museum of Art

Además de las dos estampaciones del estado II arriba citadas, hay otra en el Staatenmuseum de Copenhague (reprod. en Trapier 1952, fig. 11).

Igual que en la núm. 8, aparece grabada al aguafuerte una imitación de la firma de Ribera, escribiendo el nombre de forma incorrecta. En este caso no hay errores en el nombre aunque han vuelto a olvidar el «de». El origen de esta inscripción sigue siendo un misterio porque no hay estampaciones donde no aparezca.

Trapier considera un dibujo a pluma y tinta (Uffizi, 10107 S) como un estudio preparatorio, si bien se trata de una copia.

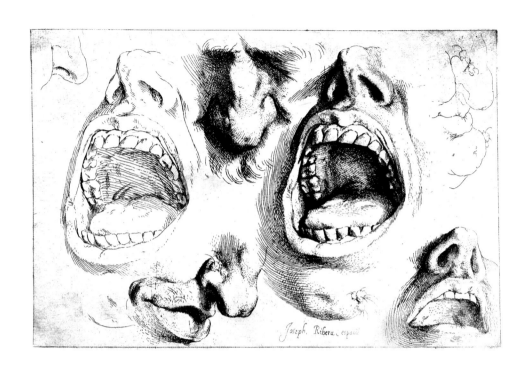

10

CABEZA GROTESCA PEQUEÑA

142 x 113 mm. Aguafuerte. Firmado y fechado: $\mathrm{P.}$ $\mathrm{A.}$ 1622.

I. Antes de las iniciales de Frans van Wyngaerde. Línea de encuadre doble parcial a lo largo del lado izquierdo, partiendo de la esquina inferior izquierda con una altura de 9 cm. A, BM, BOS, R. Manning, Nueva York.

II. Iniciales *F. V. Wyn. ex.* añadidos debajo de la línea de encuadre inferior de la siguiente manera: *F.,* en la esquina izquierda; *V.,* en el centro; *Wyn. ex.,* en la esquina derecha. Retallada en las sombras del caballete de la nariz. Línea de encuadre izquierda parcialmente borrada. A, BM, BNP, V.

Copias:

1. Núm. 30, XXI.
2. Núm. 36, XXi.

Bibliografía: B. 8 y 8 I, II; Gori Gandellini 1771, III, 157, núms. 3-4; Gori Gandellini 1814 (por De Angelis), XIII, 278-280; Mayer 1923, 44; Brown 1973, núm. 10.

En los dos estados aparecen dobles líneas de encuadre en la base separadas por 1 cm. Según Mayer, Gori Gandellini sostenía que esta estampa y la núm. 11 formaban parte de una serie de doce cabezas grotescas. De hecho, Gori Gandellini no incluía estas dos estampas en el grupo al que llamaba «*dodici foglietti con teste ideali, e di deforme aspetto*». En la edición de Gori realizada por De Angelis en 1818 las doce cabezas no se incluyen en la obra de Ribera. No se han encontrado, por lo que pueden ser consideradas como una anotación errónea del no excesivamente fiable Gori Gandellini.

Hay un dibujo preparatorio en la colección de E. Schapiro, Londres-París (fig. 28).

Los dos hombres de los núms. 10 y 11 padecen un tumor benigno llamado el mal de Von Recklihausen (neurofibroma múltiple).

28 RIBERA: *Cabeza grotesca pequeña.* Londres-París, E. Schapiro

Cat. núm. 10
CABEZA GROTESCA PEQUEÑA. **(Estado I).** Londres, British Museum

75

11

CABEZA GROTESCA GRANDE

217 x 145 mm. Aguafuerte con buril en la mejilla. Firmado: $\mathcal{J}^\cdot$, hispanus. Hacia 1622.

I. Antes de las iniciales de Frans van Wyngaerde. B, BOS, BM, V.

II. Iniciales *F. V. W. ex.* añadidos directamente debajo de la línea de encuadre inferior de la siguiente manera: *F.,* en la esquina izquierda; *V.,* en el centro; *W. ex.,* en la esquina derecha. BNP, NYPL, FI, V.

Copias:

1. Núm. 30, XXII.
2. Núm. 33, VII.
3. Núm. 35, V.
4. Núm. 36, XXII.

Bibliografía: B. 9 y 9 I, II; Brown 1973, núm. 11.

Vide núm. 7 para la relación con las «hojas de estudio». A la derecha de la firma quedan restos de un monograma invertido que ha sido borrado. En las últimas estampaciones no se ve. Las últimas estampaciones del segundo estado muestran un claro cansancio del cobre en las sombras, sobre todo alrededor del ojo izquierdo.

Un dibujo preparatorio es el reproducido en la fig. 29. Otro dibujo de tema parecido se conserva en el Fitzwilliam Museum, Cambridge (P. D. 26, 1958).

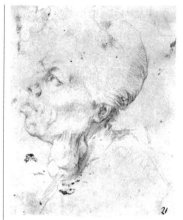

29 RIBERA: *Cabeza grotesca grande.*
Sin localizar

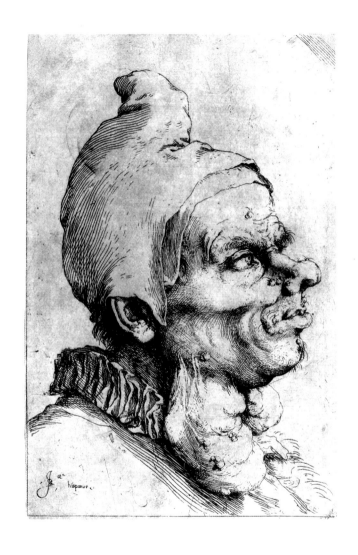

Cat. núm. 11
CABEZA GROTESCA GRANDE. **(Estado I).** Londres, British Museum

12

MARTIRIO DE SAN BARTOLOMÉ

324 x 239 mm. Aguafuerte y toques de buril.

Firmado y fechado con inscripción: *Dedico mis obras y esta estampa al Serenis^{mo} Principe Philiberto mi Señor/en Napoles año 1624. Iusepe de Rivera Spañol.*

I. Antes de ser retallada. AC. BM, NYPL, V.
Hay contrapruebas en B, V y L. Baskin, Northampton. (Massachusets).

II. Retallada con buril en las siguientes zonas: en las sombras del árbol que sigue el contorno de la parte izquierda del cuerpo del santo, empezando en el brazo y extendiéndose hacia el área triangular entre el muslo y la pantorrilla, donde se observan unas líneas entrecruzadas muy compactas; en la sombra triangular entre los tobillos y a lo largo del perfil derecho de la pierna derecha del santo. BNP, FI.

Copias:

1. Grabado a buril invertido con la inscripción *M. B. BAR-THOLOMAEI APPOS (Joseph de Ribera inuent. Cum Privilegio. A Paris chez Mariete, rue S^t. Jacques á l'Esperance.* 425 x 290 mm. (línea de encuadre). BNP.

2. Grabado a buril invertido con la inscripción *Sancte Bartholonmeae, Pedro Rodríguez, 1638.* (Carrete, 1986, fig. 495). BNM.

3. Aguafuerte invertido con la inscripción *Iusepe de Rivera spañol en Napoles* en la esquina inferior derecha. 306 x 240 mm. (Nagler, *Lexicon,* 1843, XII, 105, núm. 6). A, B, NYPL.

4. Grabado a buril, copia parcial invertida donde aparece la mitad superior del verdugo y del santo.
161 x 116 mm. (Mayer 1923, 47, núm. 5). B, BR.

5. Mayer 1923, 47, núm. 1, recoge una copia con la inscripción *S Bartholomeus Steffano Scolari Forma a Vene^a.*

6. Mayer 1923, 47, núm. 3, recoge una copia con una inscripción larga y la consiguiente firma: *Dan Carlo Kommex delin. Philipp Kilian sculp.*

7. Mayer 1923, 47, núm. 4, recoge una copia del grupo central con la inscripción *A paris Chez Landry rue St. Jacques á St. Francois de Sales/ S. BARTHOLOMAEUS.*

8. Grabado a buril, copia invertida, con la inscripción *S. BARTHOLOMEVS.* 303 x 238 mm. AC.

9. Núm. 30, XX.

10. Núm. 33, XII.

11. Núm. 35, II.

12. Núm. 36, XX.

Bibliografía: B. 6; Wessely 1882, 54, núm. 3; Mayer 1923, 47; Brown 1973, núm. 12.

El estado II, que no aparece en Bartsch, fue recogido por Wessely. Según De Dominici 1742, 4, Ribera aparentemente realizó esta composición por vez primera en un cuadro que debía ser presentado al Duque de Osuna, virrey de Nápoles, y realizado poco después de la llegada de Ribera a Nápoles (1616). Una pintura de la colección Shickman, Nueva York, puede ser reflejo de esta obra, a pesar de no ser atribuible a Ribera. Una segunda versión del tema, realizada algunos años más tarde, que se encuentra en la Colegiata de Osuna (fig. 30), muestra el grupo central con una disposición más parecida a la estampa. Una tercera versión, que podría fecharse casi en el mismo momento que la estampa, aunque tiene una disposición diferente de las figuras, se halla en el Palazzo Pitti, Florencia. La estampa no corresponde exactamente a ninguna de las obras citadas siendo, más bien, una versión libre del tema. Hay un dibujo preparatorio en el Museo Británico (Fawkener, 5212-111, fig. 31). Otro dibujo recientemente aparecido ha sido identificado por el propietario como un boceto preparatorio más terminado (Th. Laurentius, Voorschoten, fig. 32). De todos modos es sin duda una buena copia.

Dos dibujos que se conservan en los Uffizi son copias (10118 y 10119). Para más datos sobre el Príncipe Filiberto de Saboya, *vide* nota 12.

31 RIBERA: *Martirio de san Bartolomé.* Londres, British Museum

32 ¿RIBERA?: *Martirio de san Bartolomé.* Voorschoten, Th. Laurentius

30 RIBERA: *Martirio de san Bartolomé.* Osuna, Colegiata

Dedico mis obras y esta estampa al Sereníssimo Príncipe Philiberto mi señor
en Nápoles año 1624

Jusepe de Ribera español

Cat. núm. 12
MARTIRIO DE SAN BARTOLOMÉ. **(Estado I).** Londres, British Museum

79

13

SAN JERÓNIMO LEYENDO

194 x 257 mm. Aguafuerte con buril y punta seca. Inscripción de un monograma falsificado: ⟨monograma⟩. Hacia 1624.

Prueba de estado: en B (893-21). 208 x 257 mm.

Colecciones: B, BM, BOS, BNP.

Copias:

1. Aguafuerte del siglo XVII invertido con monograma GRª en la esquina superior derecha. 186 x 246 mm. BM, NYPL, V.

2. Grabado a buril del siglo XVII invertido sin fecha ni firma. 185 x 244 mm.

Bibliografía: B. 3; Nagler, *Lexicon,* 1845, XIV, 25; Le Blanc 1854, III, 327; Nagler, *Monogrammisten,* 1863, III, núm. 322; Wessely 1882, 54, núm. 1; Mayer 1923, 41; Brown 1973, núm. 13.

SAN JERÓNIMO LEYENDO. **(Cat. núm. 13, prueba de estado).** Berlín, Preussischer Kulturbesitz, Kupferstichkabinett

Esta es la única estampa de Ribera de la que se conserva una prueba de estado. En el ejemplar de Berlín aparece una dedicatoria omitida posteriormente, debajo de la línea de encuadre. La inscripción es la siguiente: *Dedico mis obras y esta estampa al Serenis^mo Príncipe Philiberto. mi Señor / en Napoles año 1624. Iusepe de Rivera Spañol.* Esta edición agranda el tamaño de la estampa cuyas dimensiones se convierten en 208 x 257 mm. La inscripción es idéntica a la que aparece en la núm. 12. Ribera sencillamente preservó la escena del *Martirio de san Bartolomé* para que sólo se estampara la dedicatoria, estampando encima la nueva composición de *San Jerónimo leyendo.* La clave del origen de esta inscripción se halla en las sombras que aparecen encima de la palabra «dedico». Estas líneas representan la sombra de la roca en primer plano del *Martirio de san Bartolomé.* Según parece, Ribera quiso añadir en un primer momento una dedicatoria a la núm. 13, una vez más, dirigida al Príncipe Filiberto de Saboya, pero luego cambió de idea. El motivo del cambio pudo ser la muerte del príncipe en agosto de 1624. Si esta conjetura es correcta, podría ser la prueba adicional para fechar la estampa ese mismo año. Vista la extraordinaria frescura de la estampación de Berlín —poco entintada, pero estampada con gran claridad— no puede ser obra de un artista posterior. Mayer describe la estampación de Berlín, pero sin observar la coincidencia de la inscripción.

Wessely describía un segundo estado retallado en las sombras de la roca cercana a la línea de encuadre izquierda. En todo caso, estas líneas aparecen en las primeras estampaciones. Le Blanc describía el primer estado como «antes de la letra». De todos modos, aún no se ha descubierto un estado posterior con dedicatoria.

El monograma de esta estampa no fue obra de Ribera. En primer lugar, no coincide con su caligrafía; en segundo, Ribera escribía su nombre de pila como «Jusepe», versión valenciano-aragonesa del mismo, en vez de utilizar «Gioseppe« o «Giuseppe», como era habitual en la Italia del siglo XVII. De todos modos, no se puede decir con precisión cuándo fue añadido el monograma. Por lógica, debe existir un estado, anterior al único que se conoce, sin el monograma, aunque no haya aparecido ningún ejemplo. Nagler advirtió en *Monogrammisten* el error ortográfico y señaló que Ribera siempre había utilizado las iniciales «J. R.» El mismo autor recogía en *Lexicon* la noticia que en una subasta en Leipzig, celebrada el 27 de abril de 1821, la estampa había aparecido como atribuída a Guido Ruggieri, si bien no hay fundamento para pensar que el artista añadió el monograma, aunque sólo sea porque «GRª» no es la manera correcta de abreviar su nombre.

Las primeras estampaciones tienen un velo grisáceo, resultado de haber dejado una fina película de tinta sobre la lámina de cobre, con lo que aumenta sustancialmente su calidad. Las finísimas tallas de la cabeza y los pómulos no tardaron mucho en mostrar cansancio, de tal forma que la técnica aparece en toda su finura solamente en las primeras estampaciones. Algunas de las finas tallas en el cielo, en el cuerpo del santo y en la roca, también desaparecieron con el tiempo, al igual que la pequeña nube determinada por líneas finas y superficiales que se observa en el margen derecho, a unos 5 cm. por encima de la rama rota.

La composición es una versión libre del *San Jerónimo* de Caravaggio, realizado hacia 1605 y conservado en la Galería Borghese de Roma. Vitzthum 1971, (figs. 8 y 9), publicó dos dibujos del tema ejecutados por Ribera como estudios preparatorios; no obstante, pueden ser considerados como variaciones independientes del tema ejecutadas con fecha posterior.

Cat. núm. 13
SAN JERÓNIMO LEYENDO. Londres, British Museum

14

SILENO BORRACHO

272 x 350 mm. Aguafuerte con buril. Firmado y fechado: *Joseph á Ribera Hispˢ Valentiʲ/Setaben. f. Partenope/ 1628.*

I. Con firma y fecha. A, BM, MMA.
Hay contrapruebas en A, B, BOS y N.

II. Dedicatoria añadida en el centro de la parte inferior debajo de los ropajes de Sileno: *Al Molto IIIᴿᴱ. Sʳ. Don Gioseppe Balsamo Barone di Cattasi, Giorato dell IIIᵐᵒ. / Senato della nobile Citta di Messina / Giovanni Orlandi Romano. D.D.* BM, MMA.

III. Nombre del editor y dedicatoria añadidos en la esquina inferior izquierda: *all Pace Gio Iacomo Rossi formis Roma 1649.* AC, BM, CN, FI.

Copias:

1. Aguafuerte del siglo XVII invertido con la siguiente inscripción en la piedra de la esquina inferior izquierda: *Joseph à Ribera Hispˢ Valentiˢ / Sebaten. f. Partenope 1628.* 267 x 348 mm. AC, B, C, BNP.

2. Aguafuerte del siglo XVII invertido con la siguiente inscripción: *Joseph a Ribera Hisp.ˢ Valentiˢ/Sebaten Partenope. Romae. D.D.* 269 x 348 mm. BM, BNP, N.

3. Versión libre al aguafuerte de Francesco Burani (B. 1). 263 x 380 mm. (reprod. Trapier 1952, fig. 172).

4. Mayer da cuenta de una copia invertida anónima.

Bibliografía: B. 13; Nagler, *Lexicon,* 1843, XIII, 105-106; Mayer 1923, 51; Petrucci 1952, 105, núm. 741; Brown 1973, núm. 14.

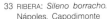

33 RIBERA: *Sileno borracho.*
Nápoles, Capodimonte

SILENO BORRACHO. **(Cat. núm. 14, estado III).**
Filadelfia, Museum of Art, Academy Collection

Bartsch recoge un solo estado de esta estampa. Nagler identifica los tres estados arriba citados y algunas copias. Mayer, que describía dos estados, identificó erróneamente los estados III y II. En las estampaciones tardías del estado II y todas las estampaciones del III, la líneas grabadas al aguafuerte en las sombras están muy deterioradas, notándose sólo las líneas grabadas a buril. En estas obras hay una estampación con un retallado tardío que puede llevar a engaño.

La lámina de cobre se conserva en la Calcografia Nazionale de Roma (Petrucci). En 1933-34 se realizó una gran tirada del estado III en papel moderno. En ella aparece el sello de la Calcografía Nazionale (C. N.) en la esquina izquierda del papel, claramente fuera de la huella. La mayoría de las líneas de las sombras muestran el casi completo cansancio de la plancha, igual que en el estado III.

La firma de Ribera recoge el patronímico latino de su país, su provincia y su ciudad de nacimiento —Hispanus (España), Valentinus (Valencia), Setabensis (Játiva)— y el nombre griego del lugar donde fue realizada la estampa, Partenope (Nápoles). La inscripción dedicatoria del estado II no está firmada por Ribera sino por un tal Giovanni Orlandi de Roma. Teniendo en cuenta que la lámina de cobre acabó por ser adquirida en 1649 por un editor romano, es posible que Ribera la vendiera a Orlandi, quien la utilizó para sus fines y terminó por vendérsela a Giacomo De Rossi. En 1738 fue comprada por la Calcografía de Roma.

La composición es una adaptación de un cuadro de Ribera de 1626, ahora en Nápoles, Capodimonte (fig. 33). Chenault Porter 1979, identifica correctamente al sátiro con Pan y sugiere también una increíble variedad de posibles fuentes para la postura de Sileno que demuestra cómo era uno de los lugares comunes del arte de la Antigüedad y del Renacimiento. De todos modos, como Trapier 1952, 241 advertía, una postura

semejante es utilizada por Ribera en un dibujo anterior, *Sansón y Dalila* (Córdoba, Museo de Bellas Artes), estudio para una pintura perdida de la Colección Real española.

Bellini 1975, 19-20, propone la atribución a Ribera de una estampa (Nápoles, San Martino) que está compuesta con motivos del *Sileno borracho* y el *San Jerónimo leyendo*. Como Spinosa 1979, 95, núm. 25, advierte, esta estampa es una «derivazione» y está relacionada con las numerosas colecciones de estampas basadas en la obra de Ribera descritas por Brown 1973, 83-86, núms. 30-37. Spear 1983, plantea la hipótesis de que el tema puede ser interpretado como una alegoría de la inspiración poética e identifica a la figura en las sombras del fondo con Apolo.

Cat. núm. 14
SILENO BORRACHO. **(Estado I).** Londres, British Museum

83

15

ESCUDO DE ARMAS DEL MARQUÉS DE TARIFA

244 x 179 mm. Aguafuerte con buril, obra de un colaborador anónimo. Hacia 1629-1633.

Colecciones: BNP y V sólo.

Copias:

1. Núm. 30, XIX *(putti* solo).
2. Núm. 36, XIX *(putti* solo).

Bibliografía: B. 18; Mayer 1923, 54; Trapier 1952, 101-102; Darby 1953, 68-69; Brown 1973, núm. 15.

34 RIBERA: *La aparición de la Sagrada Familia a san Bruno.* Nápoles, Palacio Real

Esta estampa es el resultado de la colaboración entre Ribera y un burilista anónimo que fue responsable de la realización de dicho blasón. Dicho blasón es un ejemplo típico del grabado decorativo a buril que se realizaba en ese momento; correcto, pero mecánico. Dado el limitado uso del buril para fortalecer las sombras en los aguafuertes de Ribera, no parece posible que estuviera preparado para el disciplinado grabado a buril que aquí aparece. Tal vez, la intervención de otro artista confundió a Mayer, quien rechazó la atribución. En todo caso, los *putti* son perfectamente compatibles con el estilo de grabado al aguafuerte de Ribera. Además, Trapier estableció la relación entre estos *putti* y los que aparecen en una pintura realizada por Ribera hacia 1630, *La aparición de san Bruno* (Nápoles, Palacio Real, (fig. 34). Una indicación más respecto a su autenticidad es el hecho que los *putti* sólo aparecen en la edición de Louis Ferdinand de grabados a buril basados en la estampa de Ribera, publicadas en 1650 (Cat. núm. 30, XIX).

La fecha y la finalidad de esta estampa son dos problemas interrelacionados. El Marqués de Saltillo 1940-41, 246-247, publicó los extractos de una serie de cartas escritas en 1634-35 por el Duque de Alcalá, más tarde virrey de Sicilia, a su apoderado en Nápoles, Sancho de Céspedes. El tema de estas cartas era una estampa que Ribera realizó como portada de un libro con los decretos del Duque como Virrey. Se da cuenta de la terminación de esta estampa en una carta del 20 de agosto de 1635. Trapier identificaba esta estampa con la núm. 15 y planteaba, además, la hipótesis de que podría haber servido de portada a un libro titulado *Pragmaticum Regni Siciliae, novissima collectio,* Palermo, 1635 y 1637. No obstante, una copia de este libro, conservada en la biblioteca de la Facultad de Derecho de la Universidad de Yale, sólo contiene una estampa tosca grabada a buril que sirve de portada. D. F. Darby posteriormente analizó la heráldica del escudo de armas y afirmó de manera convencida que no pertenecía al Duque de Alcalá sino a su desafortunado hijo el Marqués de Tarifa, muerto en 1633 a la edad de 19 años. La prueba irrefutable viene dada por la cruz de la Orden de Alcántara, en la que el Marqués fue admitido en 1629 y es posible que la estampa se hiciera para conmemorar el acontecimiento. La hipótesis no sólo no resuelve muchos de los problemas sino que los crea; por ejemplo, ¿cómo se utilizó la estampa y qué paso con la lámina encargada por el Duque de Alcalá, lista para ser grabada el 20 de agosto de 1635?

Por lo que se refiere al propósito de la estampa, Darby sugiere a título de hipótesis que la estampa sirvió como portada a una edición del poema del Marqués, *La fábula de Mirra,* Nápoles, 1631, aunque no aparece en este libro (Hispanic Society of America, Nueva York). La inclusión de la estampa en un libro podría explicar la rareza de la obra como estampa suelta.

El destino del cobre encargado por el Duque de Alcalá también sigue siendo un misterio y merece la pena advertir que la descripción exacta de la estampa del Duque no apareció nunca en la correspondencia. Se dio a Ribera un dibujo para que le sirviera de modelo pero no se describe jamás en las cartas al Duque. No se puede asumir que fuera efectivamente su escudo de armas ni tampoco que llegara a grabarse. Aún no he logrado encontrar un libro con sus leyes y decretos que, de existir, podría ayudarnos a contestar la pregunta.

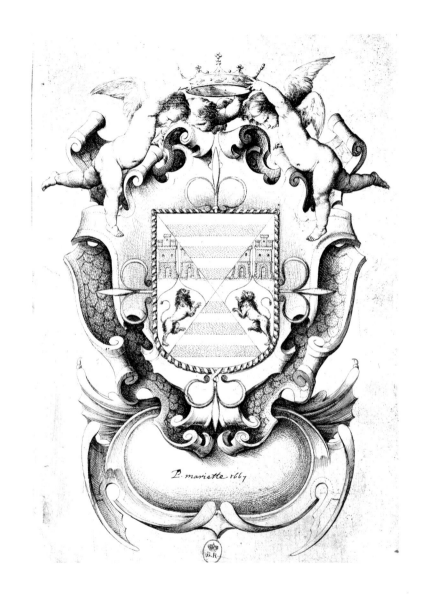

Cat. núm. 15
ESCUDO DE ARMAS DEL MARQUÉS DE TARIFA. París, Bibliothèque Nationale

16

RETRATO ECUESTRE DE DON JUAN DE AUSTRIA

350 x 270 mm. Aguafuerte. Firmado y fechado: *Jusepe de Ribera f./1648*. Inscripción en el centro superior: *El S^mo Sr Don Juan de Austria.*

I. Antes de ser retallada y de la adición de la línea de encuadre. BM, BNP, R, V.

II. Amplio retallado a buril. Bigote añadido, sombra de la cara intensificada. Líneas añadidas en el sombrero, en el pelo, vista de la ciudad, pecho del caballo, rocas en la parte inferior derecha, suelo y cielo. Línea de encuadre añadida. Sólo BM.

III. Inscripción alterada de la siguiente manera: *Carolus, II. DEI. GRATIA. HISPANIARUM./ ET. INDIARUM. REX. ETC.: (Gaspar de Hollander occud. Antwerpia op de meer)*. La fecha también cambia: *1670*. Añadidos dos *putti* grabados a buril que sostienen una corona por encima de la cabeza. En la esquina superior derecha otro *putto* sostiene el escudo de armas de la realeza española. El bigote ha sido borrado. V.

Bibliografía: B. 14; Nagler, *Lexicon,* 1843, XIII, 106; Mayer 1923, 155; Brown 1973, núm. 16.

RETRATO ECUESTRE DE DON JUAN DE AUSTRIA. **(Cat. núm. 16, estado II).** Londres, British Museum

35 RIBERA: *Don Juan de Austria.* Madrid, Palacio Real

Bartsch sólo enumera un estado. El estado II de Nagler es el estado III. Mayer consideraba el estado II una copia. En el estado III, como se ha advertido ya, la identidad del retrato ha sido cambiada por la del rey Carlos II de España.

La composición ha sido adaptada de un cuadro de Ribera del mismo tema (fig. 35).

El S.^{mo} Sor Don Juan de Austria.

Cat. núm. 16
RETRATO ECUESTRE DE DON JUAN DE AUSTRIA. **(Estado I).** Londres, British Museum

17

LAMENTACIÓN SOBRE EL CUERPO DE CRISTO MUERTO

199 x 253 mm. Aguafuerte. Hacia 1620-21.

I.   Antes del monograma. IN 72627, Ac. 45.

II.   Monograma *GR* invertido añadido en la esquina inferior izquierda. MMA, V, Nueva York, colección particular. Madrid, colección particular.

Copia: Aguafuerte invertido de Ludovico Mattioli (1662-1747), con la siguiente inscripción en la esquina inferior izquierda: *Guido Renus Inv.,* y en la esquina inferior derecha: *Ludovicus Matthiolus f.* (B. 9). IN.

Bibliografía: B. 1; Basan 1767, II, 413-414; Mayer 1923, 110-113; Angulo Iñiguez 1958, 341; Felton 1969, 5 y 9; MacLaren-Braham 1970, 92 y 93; nota 7; Brown 1973, núm. 17; Sopher 1978, núm. 158; Spinosa 1979, 87; Brown 1982, 72.

36 RIBERA: *Lamentación sobre el cuerpo de Cristo muerto.* Londres, The National Gallery

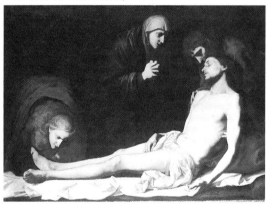

Esta estampa ha sido una de las atribuciones más problemáticas de Ribera. Basan fue el primero que la identificó como un trabajo auténtico y fue seguido por todos los estudiosos hasta Mayer, que pensó que había sido retallado por un discípulo. Braham observó que el cobre no había sido retallado salvo en el caso de la escalera añadida (aunque aparezca también en el estado I) y concluyó que la estampa parecía «demasiado tosca para ser un trabajo de Ribera». En Brown 1973, yo mismo argumenté en contra de la autenticidad, basándome en argumentos técnicos y estilísticos. De todos modos, tanto Spinola como Shoper defendieron la autenticidad y, después de reconsiderar el problema, acepté sus argumentos. (Brown, 1982).

Si bien es cierto que la estampa adolece de la sofisticación técnica de obras como *Las lágrimas de san Pedro,* por no mencionar otras realizadas en los últimos años de la década como el *Martirio de san Bartolomé* y el *Sileno borracho,* concuerda con estampas como las dos versiones de *San Jerónimo escucha la trompeta del Juicio Final,* que muestra el mismo uso poco refinado del buril.

Otro argumento a su favor es una estampación de *San Jerónimo leyendo* en el Museo de Bellas Artes de Boston (Colección Peoli 50.288) que tiene una maculatura de la núm. 17 al dorso. Contrariamente a mi interpretación de esta estampación en 1973, opino que ofrece importantes pruebas circunstanciales para determinar la autenticidad de esta estampa.

La composición fue relacionada por Milicua, 1952, con una pintura de *La deposición del cuerpo de Cristo* descrita por Mancini hacia 1620, sugerencia plausible, pero que no se puede probar. Habitualmente, Ribera revisaba sus composiciones, trasladando los elementos figurativos y reordenándolos. Variantes de la *Lamentación* se encuentran, por ejemplo, en sus pinturas sobre el mismo tema conservadas en la National Gallery, Londres (años 20 del siglo XVII, fig. 36) y en la Certosa de San Martino, Nápoles (1637). Teniendo en cuenta la práctica habitual en el artista de introducir cambios incluso en las estampas basadas en cuadros, parece muy arriesgado sugerir que la núm. 17 reproduce exactamente la *Deposición* mencionada por Mancini.

La atribución del tema de esta composición a Guido Reni en la copia del siglo XVII por Ludovico Mattioli es, probablemente, el resultado de su error al interpretar el monograma «GR», añadido al estado II, ya que su estilo no tiene ninguna relación con las estampas de Reni.

Cat. núm. 17

LAMENTACIÓN SOBRE EL CUERPO DE CRISTO MUERTO. **(Estado I).** Roma, Istituto Nazionale per la Grafica

18

CUPIDO AZOTANDO A UN SÁTIRO

164 x 205 mm. Aguafuerte. Firmada: ℳ .
Colecciones: BM, MMA, V, Nueva York, colección particular.
Copias: Aguafuerte invertido, firmado por debajo de la línea de encuadre: *H. Cooke Sen. in.* 149 x 192 mm. MMA.
Bibliografía: B. 12; Gori Gandellini 1771, III, 155-158, núm. 5; Nagler, *Monogrammisten,* 1864, IV, núm. 1365; Woermann 1890, 150; Mayer 1923, 54; Petrucci 1952, 87, núm. 580; Brown 1973, núm. 18.

Esta estampa ocupa un lugar incierto dentro del catálogo de las estampas de Ribera. El primero que la atribuyó al artista fue Gori Gandellini, tal vez por la similitud temática con un dibujo de Ribera en el Museo Condé, Chantilly (L. V., 159, fig. 37); copia en la Real Academia de Bellas Artes de Madrid). Bartsch la incluyó en su catálogo a pesar del monograma. De todos modos, fue rechazada por Nagler y, posteriormente, por Woermann, Mayer y Brown.

El monograma ha sido leído de muchas maneras. Para Bartsch era «SN»; para Mayer «SV» o «SNJ». Nagler interpretó, de forma correcta, las letras como «S. L. N.» y trató de atribuir la estampa al poco conocido artista romano Lorenzo Nelli (muerto en 1708). A pesar de ser correcta le lectura del monorama de Nagler, es imposible determinar el orden de las letras.

En cualquier caso, la lectura del monograma no tiene nada que ver con la atribución de la estampa, que es sin duda obra de Ribera. El tronco de árbol roto es un tema familiar dentro del repertorio del artista y tiene un gran parecido con el tratamiento del mismo tema en el *Martirio de san Bartolomé*. Desde otros puntos de vista, la estampa coincide con el estilo de Ribera. El entramado apretado con líneas cortas y fluídas

37 RIBERA: *Putto azotando a un sátiro.* Chantilly, Musée Condé

aparece en obras como *Las lágrimas de san Pedro*. En cualquier caso, la ausencia de punteado hace que la estampa esté más claramente unida a los dibujos de los años 20 del siglo XVII, *(vide* fig. 1).

Estampaciones tardías (BPR) fueron realizadas en el siglo XVIII, con el cobre adquirido por la Calcografia Nazionale de Roma, donde permanece aún (Petrucci).

Cat. núm. 18
CUPIDO AZOTANDO A UN SÁTIRO. Londres, British Museum

19 BATALLA ENTRE UN CENTAURO Y UN TRITÓN

117 x 165 mm. Aguafuerte.
Colecciones: BM, MMA.
Bibliografía: B. 11; Nagler, *Lexicon,* 1843, XIII, 105; Woerman 1890, 150; Mayer 1923, 54; Brown 1973, núm. 19.

Bartsch fue el primero que atribuyó esta estampa a Ribera, atribución aceptada por Nagler, *Lexicon.* Woermann fue quien la excluyó por vez primera, seguido por Mayer. No puede relacionarse de manera alguna este trabajo, tosco y muy por debajo de la calidad del estilo de Ribera, con la obra del artista.

20 DESCANSO EN LA HUIDA A EGIPTO

291 x 226 mm. Grabado a buril. Aparece la siguiente inscripción: *Carolus Saracenus Invent.*
I. Antes del monograma. BM, NYPL.
Hay contrapruebas en C, IN y NYPL.
II. Monograma añadido: ⵜ⅌ A. Inmediatamente debajo de la línea de encuadre inferior aparecen las iniciales *F. V. Wyn. ex.* añadidas. B, BM.
Copias: Grabado a buril. 289 x 225 mm. BOS.
Bibliografía: B. *«pièce douteuse»;* Robert-Dumesnil 1841, V, 78, núm. 1; Valentiner 1932, 114-121; Pariset 1935, 244-245; Brown 1973, núm. 20.

Esta estupenda estampa fue atribuída a Jean Le Clerc por Robert Dumesnil y Pariset. Reproduce una pintura de 1606 realizada por Eremeo dei Camaldolesi por Carlo Saraceni y conservada en la iglesia de San Romualdo, Frascati. Siguiendo una costumbre corriente entre los editores de los Países Bajos, Wyngaerde a veces añadía el nombre de artistas conocidos a la obra de otros artistas menores *(vide* Valentiner y Pariset). Por tanto, la firma falsificada ofrece una prueba adicional a la gran demanda de estampas de Ribera.

21 CABEZA DE VIEJO

134 x 95 mm. Grabado a buril firmado con monograma falsificado en la esquina superior izquierda: ⵜ⅌ A .
Colecciones: C, V.

Esta estampa del siglo XVII, probablemente de origen flamenco, muestra la cabeza y los hombros de un hombre visto de perfil de tres cuartos. Mira hacia abajo en dirección derecha. Igual que la núm. 20 es una falsificación.

22 GUERRERO DE PIE

182 x 120 mm. Aguafuerte firmado en la esquina inferior derecha: ⵜ⅌ .
Colecciones: BNP.
Bibliografía: Brown 1973, núm. 22.

En esta estampa aparece un guerrero vestido con una túnica corta y sandalias atadas en la pantorrilla. En la cabeza lleva un turbante con dos plumas en el lado derecho. En la mano derecha tiene una punta de lanza con mango corto. Esta estampa está más cerca de Salvator Rosa que de Ribera. El monograma parece ser contemporáneo a la estampa, seguramente realizada en los últimos años del siglo XVII. El parecido del monograma con los que utilizaba Ribera podría ser una coincidencia inocente.

23 JOVEN CON ARPA

120 x 115 mm. Aguafuerte firmado y fechado con monograma falsificado en la esquina inferior derecha: ARibera 1621.
Colecciones: NYPL.
Bibliografía: Brown 1973, núm. 22.

Una mujer joven de pelo largo, que

aparece retratada de cintura para arriba, sostiene un arpa de cinco cuerdas apoyada en su lado derecho. La estampa es un trabajo del siglo XIX a la manera prerrafaelista.

---

24 CABEZA DE MONJE REZANDO

115 x 102 mm. Aguafuerte con firma falsificada en el centro inferior: ARibera.
Colecciones: NYPL.
Bibliografía: Guiffrey 1866, núm. 53; Brown 1973, núm. 24.

Los números 24 al 29 son falsificaciones basadas en estados tardíos de estampas realizadas por Charles Jacque a las que se ha añadido una firma de Ribera. Son curiosas reliquias que muestran el renacer de un interés por el arte de Ribera que se verificó en los últimos años del siglo XIX, tal vez como consecuencia de la *Galerie Espagnole* del Louvre.

---

25 JOVEN LEYENDO A LA LUZ DE UNA VELA

108 x 100 mm. Aguafuerte firmado con firma falsificada en la esquina inferior izquierda: ARibera 1621.
Colecciones: NYPL.
Bibliografía: Guiffrey 1866, núm. 55; Brown 1973, núm. 25.

Es el segundo estado de una estampa de Charles Jacque.

---

26 MONJE LEYENDO

112 x 106 mm. Aguafuerte firmado con firma falsificada y fecha en la parte inferior derecha: ARibera 1621.
Colecciones: NYPL.
Bibliografía: Guiffrey 1866, núm. 50; Brown 1973, núm. 26.

Es el tercer estado de una estampa de Charles Jacque.

27 HOMBRE RIENDO

118 x 111 mm. Aguafuerte firmado con firma falsificada y fecha debajo en el brazo derecho: ARibera 1621.
Colecciones: NYPL.
Bibliografía: Guiffrey 1866, núm. 285; Brown 1973, núm. 27.

Este estado no aparece indicado en Guiffrey.

28 EL GUITARRISTA

103 x 104 mm. Aguafuerte firmado con firma falsificada y fecha en la parte inferior derecha: ARibera 1621.
Colecciones: NYPL.
Bibliografía: Guiffrey 1866, núm. 308; Brown 1973, núm. 28.

Este estado no aparece indicado en Guiffrey.

---

29 HOMBRE CON PELO LARGO Y BIGOTE

71 x 75 mm. Aguafuerte firmado en el centro inferior: *Ribera*.
Colecciones: NYPL.
Bibliografía: Guiffrey 1866, núm. 314; Brown 1973, núm. 29.

Este estado no aparece indicado en Guiffrey.

30 LIVRE DE PORTRAITURE RECEULLY DES OEUVRES DE IOSEPH DE RIBERA DIT L'ESPAGNOLET ET GRAVÉ À L'EAU FORTE PAR LOUIS FERDINAND.

A Paris chez Nicolas Langlois rue Saint Jacques à la Victoire.

160 x 220 mm. (dimensiones generales, línea de encuadre). 22 aguafuertes, numerados en arábigos en la esquina inferior derecha. (Números entre paréntesis referidos al número de catálogo en el que se basa la copia).

I. Portada (núm. 15).
II. Cuatro estudios geométricos de cabezas (no relacionados con Ribera).
III. Seis estudios de ojos (núm. 8, IIIb).
IV. Siete estudios de ojos, cuatro de perfil (núm. 8, IIIa).
V. Doce estudios de narices y bocas (no relacionados con Ribera).
VI. Cuatro estudios de narices y bocas (núm. 9, IIIa).
VII. Tres estudios de narices y bocas (núm. 9, IIIb).
VIII. Cinco estudios de orejas (núm. 7, IIIb).
IX. Cuatro estudios de orejas (núm. 7, IIIa).
X. Cuatro cabezas (no relacionadas con Ribera).
XI. Ocho estudios de pies (no relacionados con Ribera).
XII. Seis estudios de manos (incluyendo la mano que escribe de san Jerónimo, núm. 5; la mano que gesticula de san Jerónimo, núm. 4; la mano izquierda de san Bartolomé, núm. 12).
XIII. Tres estudios de pies y de piernas (incluyendo la parte inferior de Sileno, núm. 14, y la pierna izquierda de san Bartolomé, núm. 12).
XIV. Cuatro estudios de pies y de piernas (incluyendo la parte inferior de Sileno, núm. 14, y la pierna derecha de san Jerónimo, núm. 15).
XV. Cuatro estudios de brazos y manos (incluyendo el torso de san Jerónimo, núm. 13, y Sileno, núm. 14).
XVI. Cinco estudios de brazos y piernas (de la núm. 14).
XVII. Dos estudios de piernas (de la núm. 4).
XVIII. Angel con trompeta (de la núm. 5).
XIX. Dos *Putti* (de la núm. 15, sin escudo).
XX. Verdugo y parte de san Bartolomé (de la núm. 12).
XXI. Núm. 10, invertida.
XXII. Núm. 11, invertida.

Colecciones: BNP.

Bibliografía: Orellana 1930, 182; Ceán Bermúdez 1800, IV, 189; Mayer 1923, 55-56; Baticle 1962, 88; Rodríguez Moñino 1965, 23-27; Angulo Iñiguez y Pérez Sánchez, 1969, 266, nota 3; Brown 1973, núm. 20.

Esta es la primera edición del *Livre de portraiture*. Aunque no está fechado, la fecha de su segunda edición, 1650 (que Mayer incluyó por error en la transcripción del título), indica la fecha aproximada en que fue publicado.

La identificación del grabador ha sido motivo de muchos errores. Se le llamó Luis Fernández y Francisco Fernández. El primero de estos nombres fue propuesto por Orellana y se trata de una equivocación, como apuntaron Angulo y Pérez Sánchez, pues Luis Fernández era discípulo de Eugenio Caxés, pero no era grabador. El segundo nombre fue introducido por Ceán Bermúdez y se acepta frecuentemente como correcto (Rodríguez Moñino y Kubler). Francisco Fernández (1605-1646) realizó grabados a buril y sus trabajos incluyen estampas de los *Diálogos de la pintura* de Carducho (Madrid, 1633). En todo caso, el verdadero autor es el nombre que aparece en el título, Louis Elle, llamado Ferdinand (Baticle). Louis Ferdinand era un retratista parisino y grabador a buril que realizó frecuentemente obras basadas en los trabajos de otros artistas. A veces trabajó con los Mariette, para quienes hizo estampas adicionales para este libro cuando compraron las láminas a Nicolás Langlois (núm. 31). Otro trabajo suyo es el *Livre original de la portraiture pour la Jeunesse tiré de F. Bologne et autres bon peintres. A Paris chez Pierre Mariette le fils Rue S. Jacques aux Colonnes d'Hercules*. Como concepto es semejante al libro basado en las estampas de Ribera.

Estas estampas fueron separadas del libro y aparecen independientemente, por eso las dimensiones de las estampas son las de la línea de encuadre. A veces, el número de las estampas ha sido borrado, probablemente con la intención de una falsificación.

31 LIVRE DE PORTRAITURE RECEUILLY DES OEUVRES DE JOSEPH DE RIBERA DIT L'ESPAGNOLET ET GRAVÉ A L'EAU FORTE PAR LOUIS FERDINAND.

A Paris chez Pierre Mariette rue St. Jacques à l'Enseigne de l'Esperance 1650.

160 x 220 mm. (dimensiones generales, línea de encuadre). 24 aguafuertes, numerados en arábigos en la esquina inferior derecha.

Colecciones: BIAA, BNP.

Bibliografía: Weigert 1953, 167-188; París, Mariette, 1967, 168-169; Brown 1973, núm. 31.

Esta es la segunda edición de la núm. 30 con dos estampas añadidas:

XXIII. San Pedro de cintura para arriba, invertido (núm. 6)
XXIV. Núm. 3 invertida.

El editor de esta edición fue Pierre Mariette I (hacia 1602-1657) fundador de la conocida familia de editores, coleccionistas y expertos (Weigert). Comenzó una famosa colección de estampas que fue continuada por su hijo, Pierre II (1634-1716), quien heredó de su padre el interés por las estampas de Ribera y llegó a coleccionar por lo menos once sobre las que escribió a tinta su nombre y la fecha de la compra. Esta colección incluía las siguientes estampas (fecha de adquisición entre paréntesis):

a. Núm. 3, Boston (1661).
b. Núm. 15, París (1667).
c. Núm. 11, Viena (1667).
d. Núm. 10, Viena (1667).
e. Núm. 4, V, Metropolitan (1674).
f. Núm. 11, Washington, Biblioteca del Congreso (1674).
g. Núm. 14, II, Museo Británico (1674).
h. Núm. 14, I, Viena (1677).
i. Núm. 12, Col. Leonard Baskin, Northampton, Mass. (1674).
j. Núm. 11, Col. Robert Manning, Nueva York (1679).
k. Núm. 4, I, mercado del arte, París (1699).

32 LIVRE DE PORTRAITURE RECEUILLY DES OEUVRES DE IOSEPH DE RIBERA DIT L'ESPAGNOLET. G. VALCK EXCUDIT

160 x 220 mm. (dimensiones generales, línea de encuadre). 24 aguafuertes, numerados en arábigos en la esquina inferior derecha.

Colecciones: BR.
Bibliografía: Fiorillo 1806, IV, 235; Mayer 1923, 56, II-III; Brown 1973, núm. 32.

Es una reimpresión de la núm. 31 con una nueva portada.
Gerrick Valck (1651-1726) era un editor de Amsterdam. Su edición de las láminas de Ferdinand apareció hacia 1703. Una copia en Bruselas tiene esa fecha en la encuadernación. Las estampas II, III y VIII fueron más tarde incluidas en la publicación de Valck, *Tabulae de institutionibus praecipuis ad picturam necesariis ac inventae per Josephum River Spaniolette et Jacomo Palma* (Fiorillo). Como Mayer apuntó, las obras que se creían basadas en Palma en realidad estaban basadas en Guernico.

33 COLECCIÓN DE DOCE AGUAFUERTES

265 x 205 mm. (dimensiones generales línea de encuadre). Firmado en el cobre I: *Joseph Ribera Español Invent AB ex.* Las láminas están numeradas en arábigos en la esquina inferior derecha.

I. Núm. 3. En la esquina inferior izquierda, el número «3». En la esquina inferior derecha, el número «1».
II. Estudios de ojos (núm. 8, convertida en cuatro filas de tres ojos).
III. Estudios de orejas (núm. 7, convertida en tres filas de tres orejas).
IV. Estudios de bocas (núm. 9).
V. Cinco estudios de cabezas (incluyendo la cabeza de Sileno, núm. 14; la cabeza del sátiro, núm. 14; la núm. 10 y dos bustos clásicos de perfil).
VI. Tres cabezas (incluyendo la cabeza de san Jerónimo, núm. 5 y la núm. 13).
VII. Núm. 11 invertida.
VIII. Diez estudios de manos y brazos (incluyendo la mano de san Jerónimo de la núm. 5 y núm. 13).
IX. Once estudios de pies.
X. Núm. 4 invertida menos los brazos y la trompeta.
XI. Cuatro estudios de piernas (incluyendo número 14).
XII. San Bartolomé y verdugo de la núm. 12.

Colecciones: VA.
Bibliografía: Mayer 1923,57, IV; Brown 1973, núm. 33.

Parece que esta colección fue realizada en el siglo XVII y publicada por un tal AB, que aún no ha sido identificado. Una vez más las estampas han sido arrancadas del libro y se han convertido en estampas idependientes.

34 COLECCIÓN DE DIEZ GRABADOS A BURIL

265 x 205 mm. (dimensiones generales, línea de encuadre). Inscripción en el cobre I: *Ioseph Ribera Español Invent. AB ex.* Las láminas están numeradas en arábigos en el margen inferior derecho.

Colecciones: Princeton, colección particular.
Bibliografía: Brown 1973, núm. 34.

Esta es otra edición de la número 33, menos las estampas VI y IX. Los números son idénticos hasta la V y luego cambian de la siguiente manera:

VI. Núm. 11 invertido.
VII. Diez estudios de brazos y manos (incluyendo manos de san Jerónimo de la núm. 5 y núm. 13).
VIII. Cuatro estudios de piernas (incluida núm. 4, núm. 13 y Sileno, núm. 14).
IX. Núm. 4 invertida menos brazos y trompeta.
X. San Bartolomé y verdugo de la núm. 2. Esta estampa está sin numerar. En su lugar aparece una marca indescifrable, tal vez después de borrada.

Parece probable que se trate de una segunda edición abreviada de la núm. 33, teniendo en cuenta que ha sido borrado en parte el número de la estampa X, estampa II en la otra edición.

35 COLECCIÓN DE SIETE ESTAMPAS

105 x 125 mm. (dimensiones generales, línea de encuadre).

I. Núm. 3 invertida.
II. Verdugo y lado izquierdo de san Bartolomé, mitad (núm. 12).
III. Tres estudios de narices y bocas (núm. 9).
IV. Cuatro estudios de narices y bocas (núm. 9).
V. Núm. 11 con firma falsificada borrada en parte.
VI. Núm. 6, de cintura para arriba.
VII. Cuatro estudios de piernas, incluyendo a Sileno, núm. 14 y dos detalles de san Jerónimo, núm. 5.

Colecciones: BPR.
Bibliografía: Brown 1973, núm. 35.

Esta colección de grabados a buril está encuadernada en un volumen misceláneo de estampas que se halla en la biblioteca del Palacio Real de Madrid (*Autori Varii,* sig. IY2, fols. 291 y 293). Dado su tamaño y estilo semejantes, las estampas debieron ser concebidas como una serie aunque no se sabe si llegaron a ser publicadas como un libro. Parece que fueron realizadas en el siglo XVII.

36 LIVRO DE PRINCIPIOS PARA APRENDER A DIBUXAR POR LAS OBRAS DE JOSEPH RIBERA LLAMADO (BULGARM,^{TE}) EL ESPAÑOLETO

Se hallará en la librería de Anto^{io} del Castillo, y en su puesto, gradas de S^n Phelipe el Real. Iuan Barcelón las gravó en Madrid.

160 x 130 mm. (tamaño del libro). 24 estampas a buril de Juan Barcelón, publicadas en Madrid, 1774.
Colecciones: BNM.
Bibliografía: Orellana 1930, 179; Páez Ríos 1958, 311-318; Rodríguez Moñino 196, 2-26; 1973, núm. 36.

Como Rodríguez Moñino ha apuntado, este libro es una réplica de la segunda edición de las estampas de Louis Ferdinand basadas en Ribera (núm. 31), realizadas por el grabador murciano del siglo XVIII, Juan Barcelón. Esta colección no tiene fecha pero, según Orellana, fue publicada el 21 de julio de 1774.

37 LIVRE DE PORTRAITURE RECEUILLY DES OEUVRES DE IOSEPH DE RIBERA DIT L'ESPAGNOLETO

Se hallará en la librería de Anto.^{io} del Castillo, y en su puesto, gradas de S^n Phelipe el Real. Iuan Barcelón las gravó en Madrid.

Colecciones: BNM.
Bibliografía: Brown 1973, núm. 37.

Se trata de una reimpresión sin fechar de la núm. 36.

N.º DE BARTSCH	N.º DEL PRESENTE CATALOGO
1	17
2	1
3	13
4	5
5	4
6	12
7	6
8	10
9	11
10	3
11	19
12	18
13	14
14	16
15	8
16	9
17	7
18	15
dudosa	20

Cat. núm. 5. SAN JERÓNIMO Y EL ÁNGEL. Detalle

INTRODUCTION

Although Ribera's etchings have often been praised by historians of the print, they had never been comprehensively catalogued until 1973. The earliest list of prints to go beyond the mere passing reference was written by De Dominici (1742, 17). He mentioned seven prints, one of which, a *Baccanale con Bacco trionfale e Sileno,* he seems to have confused with an as yet unidentifiable print after a painting from the Farnese Gallery. His attribution of youthful engravings after Guercino was based on a misunderstanding of a collection of copies based on compositions by Ribera and Guercino published in Amsterdam around 1700 (Cat. no. 32). A few years later, Dézalliers d'Argenville (1745, 237) attributed *«environ vignt-six pièces»* to Ribera, though he mentioned only twenty of them. Eight are now accepted works of Ribera, but the other twelve, *«un livre de portraiture de douze feuilles»,* appear to be a confusion with another collection of engraved copies after Ribera's print (Cat. no. 33). The number of twenty-six prints was also cited by Gori Gandellini (1771, III, 157-158), who undertook to name twenty-three of them. But unfortunately he simply combined the misinformation he found in De Dominici and Dézalliers d'Argenville, adding only the *Penitence of Saint Peter* and two apocryphal prints, a *Saint Januarius* and a *Satyr Tied to a Tree* (perhaps Cat. no. 18). A major step in purifyng the oeuvre was taken by Huber (1800, III, 294-296). His list of eleven prints is composed entirely of plausible attributions, whose major novelty was the *Poet.* In addition the *Lamentation* was associated with Ribera for the first time. Huber's catalogue was copied by de Angelis' 1814 edition of Gori Gandellini, and also formed the basis of Bartsch's nearly definitive catalogue of 1820.

Bartsch's study, found on pages 75-88 of volume XX of *Le peintre-graveur,* has stood for over one-hundred and fifty years as the major authority on the subject, and with good reason. In this work, Bartsch identified for the first time almost the entire oeuvre of Ribera, and it is a testimony to the keen eye of this great connoisseur that only one of the eighteen prints in his catalogue is open to question. The main weaknesses of his study are the lack of a chronological framework and the failure to distinguish the states of Ribera's prints with sufficient precision, though it may fairly be argued that the latter oversight is excusable because Ribera almost never revised his prints. The later states were made usually by publishers with an eye to prolonging the life and profitability of the plates. Nevertheless, it is worth the effort to determine exactly where Ribera left off and his retouchers began.

The need for a more refined and detailed catalogue was recognized a few years later by another giant of encyclopedic art history, G. K. Nagler. In his entry on Ribera in the *Neues allgemeines Kunstler-Lexicon* (1843, XIII, 103-107), Nagler revised Bartsch's catalogue by identifying some additional states. He was also the first to appreciate the importance of the copies after Ribera's prints, and listed a number of them that he had discovered. Nagler made additional contributions to the knowledge of the prints in various volumes of his great work, *Die Monogrammisten* (I, 1858, no. 242; III, 1863, nos. 366 and 322; IV, 1864, nos. 329 and 3641; V, 1879, no. 11). Later in the nineteenth century, J. E. Wessely further refined the knowledge of states, notably in the *Supplemente zu den Handbuchern der Kupferstichkunde* of 1882. The fourth important study of Ribera's prints is found in August Mayer's monograph on Ribera, first published in 1908. This catalogue is by far the most detailed study of the subject, but it has been ignored because it appeared in a book dedicated primarily to Ribera's paintings. These four works, then, as well as a number of specialized studies on individual prints that will be mentioned when appropriate, form the basis of the present catalogue. In addition, I have visited the major print collections in the United States and Western Europe, and many smaller ones as well, to verify and to supplement when possible the list of known states and copies.

In order to avoid confusion in future references to the two editions of this catalogue, I have maintained the same numeration as in 1973. As a consequence of accepting the authenticity of two prints which were rejected in the earlier edition (nos. 17 and 18), the catalogue no longer follows a chronological order. The arguments for dating are given in the introductory essay and are not repeated in each entry.

For the sake of convenience and easy reference, a concordance between the numbers of this catalogue is included as an appendix. After the description of each state at least one public collection where an excellent impression can be seen is listed. The mention of a single collection does not mean that additional impressions of the print do not exist elsewhere. Unique impressions are indicated by the word «only» after the abbreviation of the collection. A key to the abbreviations of collections precedes the catalogue. Bibliographical citations are given in short form by author, year of publication, and page number. The complete titles and dates are found in the Bibliography at the end of this book. I have not attempted to list every reference to every print but instead have given only the references that require discussion in the catalogue entries. Dimensions are given in millimeters, height preceding width. The measurements were taken along the left and lower platemarks, except in the case of impressions that were found only with trimmed margins. In those cases, the word «borderline» follows the dimensions and indicates that the print has been measured along this perimeter. Indications of direction are given from the spectator's viewpoint, except as follows; the «saint's right hand», etc., which refers to the orientation of the subject thus mentioned.

KEY TO COLLECTIONS CITED

A—Amsterdam, Rijksmuseum.
AC—Madrid, Antonio Correa.
B—Berlin, Staatliche Museen, Preussischer Kulturbesitz, Kupferstichkabinett.
BIAA—Paris Bibliothèque de l'Institut d'Art et d'Archéologie.
BM—London, The British Museum.
BNM—Madrid, Biblioteca Nacional.
BNP—Paris, Bibliothèque Nationale.
BOS—Boston, The Museum of Fine Arts.
BPR—Madrid, Biblioteca del Palacio Real.
BR—Brussels, Bibliothèque Royale.
C—Cologne, Wallraf-Richartz Museum.
CI—Madrid, Carlos Ibáñez.
CN—Rome, Calcografia Nazionale.
EHF—London, Enriqueta Harris Frankfort.
F—Florence, Gabinetto delle Stampe, Galleria degli Uffizi.
FLG—Madrid, Fundación Lázaro Galdiano.
IN—Rome, Istituto Nazionale per la Grafica.
M—Munich, Staatliche Graphische Sammlungen.
MMA—New York, The Metropolitan Museum of Art.
N—Naples, Museo di Capodimonte.
NYPL—New York, The New York Public Library.
P—Philadelphia, The Museum of Art.
R—Rotterdam, Museum Boymans-van Beuningen.
SA—New York, Hispanic Society of America.
V—Vienna, Graphische Sammlung Albertina.
VA—London, The Victoria and Albert Museum.

Note: Monograms see Spanish text

THE PRINTS OF RIBERA

1
SAINT SEBASTIAN

89 x 70 mm. Etching. About 1620.
Collections: A, BNP, V.
References: B. 2; Brown 1973, no. 1.

This small print, one of Ribera's earliest, was first identified by Bartsch and has subsequently found favor with most students.
Impressions are rare.

___

2
SAINT BERNARDINO OF SIENA

89 x 72 mm. (borderline). Etching. About 1620.
Collections: BNP (Côte A.A. 2) only.
References: Brown 1973, no. 2.

The print was attributed to Ribera in Brown, 1973. By virtue of its size and technique, it is closely related to no. 1. The only impression so far discovered is in BNP.

___

3
THE POET

161 x 124 mm. etching. About 1620-1621.
Collections: A, BM, EHF, MMA, V.
Copies:
1. Etching in reverse with no signature or date. 152 x 115 mm. (borderline). BNM, BNP, F.
2. Engraving in reverse, titllepage of Frederic de Wit, *Sumen picturae et delineationes* (Amsterdam, c. 1660).
3. No. 31, XXIV.
4. No. 33, I.
5. No. 35, I.
6. No. 36, XXIV.
References: B. 10; Woermann 1890, 150; Stechow 1957, 69-72; Brown 1973, no. 3; Palm 1975, 23-27; Moffitt 1978, 75-90.

In early impressions, the shadows are remarkably rich and deep, especially around the face, where the ink is almost caked between the lines (A, M, MMA, V). Considerable flecking appears on the lower part of the stone and in the sky between the branch and upper part of the tree. This appears to be the result of foul biting, though it does contribute tonal refinement to the print. Impres-

99

sions on modern paper are occasionally found (NYPL, P), which indicates that the plate survived into the nineteenth century. Woermann 1890, 150, alone has rejected the attribution.

Palm 1975, identifies the poet as Virgil. Moffitt 1978, convincingly refutes this hypothesis and proposes instead the name of Dante. Moffitt's learned discussion of the significance of the «withered-yet-blooming» tree is informative, but its application to the interpretation of the print is uncertain because this motif was frequently used by Ribera in a variety of contexts. Also, I fail to discern the scholar's cap which Moffitt believes the poet to wear. To my eyes, the poet's head is uncovered. Therefore, I continue to accept the typological interpretation presented by Stechow in 1957.

4

SAINT JEROME HEARING
THE TRUMPET OF THE
LAST JUDGMENT
(SAINT JEROME AND
THE TRUMPET)

325 x 246 mm. Etching with drypoint on right shoulder and engraving.
Signed and dated: 1621.
Collections: AC, BOS, BM, BNP, MMA, V.
Counterproofs are in: A; BNM and BNP.
Copy: Engraving in reverse. 330 x 250 mm. (borderline). Inscribed: *Mariette ex.* BNP.
References: B. 5; Nagler, *Monogrammisten,* 1858, I, 242; Andresen 1873, II, 380, no. 3; Brown 1973, no. 4.

Andresen records a second state with an address (presumably that of Wyngaerde), although one has not come to my attention.

The plate was badly abraded before printing, with the result that long, wide blurred lines are visible in a number of places. Most prominent are two parallel lines that run from the angel's wrist through the saint's left leg. Another one runs from the clouds at the left to the bottom of the scroll. A shorter broken line is near the right edge beginning 50 mm. from the top. In addition, there are

numerous fine scratchmarks in several places, the result of careless handling of the plate as it was first being printed. All of these marks are easily visible in early impressions, when they print as black, becoming increasingly faint in later impressions. On rare occasions (BNM 46949), the lines appear to have been wiped from the plate so that they are nearly invisible. In late impressions, only the engraved lines survive in certain shadowed areas (i.e., triangular area under saint's left hand, in space between ankles), giving a false indication of reworking.

The motif of a seated saint leaning on a rock may have been derived from Annibale Carracci's print of *Saint Mary Magdalene* (B. 16), although, as Posner points out (1971, II, 28), this pose seems to have been commonly used for studies of a live model.

The monogram stands for «*Ribera Hispanus*». Nagler, *Monogrammisten,* incorrectly interpreted the first part of the monogram as «*Josephus a Ribera*».

5

SAINT JEROME HEARING
THE TRUMPET OF THE
LAST JUDGMENT
(SAN JEROME AND
THE ANGEL)

318 x 238 mm. Etching with some engraving in shadows. Signed. About 1621.
I.   Before initials of Frans van Wyngaerde. MMA, V, SA. Counterproofs are in BOS (H.P.D. 13842, on verso of no. 4) and NYPL.
II. Directly under lower borderline initials *F. V. Wyn* added as follows: *F.,* in left corner; *V.* in center; *Wyn.,* in right corner. BNP.
III. Initials as in II. Reworked skillfully with burin as follows: under right elbow, reaching into space between upraised drapery fold and left side of rock; cross-hatching in small triangular area formed by left side of stomach and upper part of left leg; cross-hatching along right outline of drapery hanging from left knee; in shadow in crook of left arm; in shadow to left of right kneecap. Also inner contour of left upper arm redefined. P.

IV. Initials *F. V. Wyn.* erased except for tiny bit of upper part of V and W, which almost touch lower borderline. BNP; L. Baskin, Northampton, Mass.
V.   All traces of *F. V. Wyn.* erased. BNM.
Copies:
1.   Mayer 1923, 36, II, records copy in reverse inscribed *Mariette ex.*
2.   Mayer 1923, 36, III, records copy in same direction by C. Gallé.
References: B. 4; Wessely 1882, 54, no. 2; Mayer 1923, 36, I-III; Brown 1973, no. 5; Felton 1976, 38-39; Spinosa 1979, 96.

Wessely's three states are nos. I, II, and V of the present catalogue. Mayer incorrectly gives the initials of II as F. W.

This print was perhaps Ribera's most widely circulated etching, judging by the large number of paintings that are based on it. In early impressions, short vertical scratchmarks appear in several places, especially in the upper left corner and in the angel's body. They disappear in later impressions of the first state, when the plate shows considerable wear in the shadows under the right arm, along the left side of the lower chest, and around the tip of drapery hanging from the left knee. After state I, the plate was very cleanly wiped and printed on white paper in order to maximize the contrasts of dark and light. The best impressions of state I, however, were printed on grayish paper that produces subtle tonal contrasts.

Felton 1976 and Spinosa 1979, argue for a date of 1626 on the assumption that the print is a variant of the painting in the Hermitage, dated 1626. This assumption seems to accept the idea that Ribera never made variations on a composition after he etched it. But in at least one instance, the *Martyrdom of St. Bartholomew,* he continued to rework the composition after making the print. Given his habit of revising the composition of certain themes, there is no inherent reason to believe that a print could not, in its turn, provide the starting point for another version of the subject in a painting. Also, it should be noted that an angel with a trumpet appears in a version of the scene in the Colegiata de

Osuna, which is datable to 1616-20 (Pérez Sánchez 1978). Therefore the motif was not new to Ribera's art when the print was made, as I believe it was, around 1621.

Frans van Wyngaerde (1614-1679) was an Antwerp engraver and publisher, specializing in copies after other artists. His career as a reproductive etcher began in 1636, when he was admitted to the Antwerp guild. As a publisher, he issued prints by Wilhelm Paneels after Rubens, as well as prints by Jan Lievens, Cornel Mattue, Lucas van Uden, and Gilles Neyts. He himself made prints after Van Dyck and, above all, David Teniers. At some point he was able to obtain seven of Ribera's plates, which he reworked when necessary and printed until they were almost completely worn. Wyngaerde always placed his initial below the lower borderline. Thus, in cases where the print has been closely trimmed, it may at first be difficult to identify the state. As a rule, however, the Wyngaerde states are printed on white or beige paper and show considerable wear. They can easily be identified by comparison with an early impression. The only possible confusion might occur between a late impression of the first state and an «F.V.W.» state, but in neither case would the print be of outstanding quality.

6
THE PENITENCE OF SAINT PETER

325 x 246 mm. Etching with some engraving. Signed and dated: 1621 (in reverse).

I. Before initials of Frans van Wyngaerde. AC, BM, BNP, BOS, FLG, V. Counterproofs are in B and V.

II. Directly under lower borderline initials *F. V. Wyn.* added as follows: *F.* in left corner, *V.* in center, and *Wyn.* in right corner. A, P.

Copies:
1. Etching, in reverse, without monogram or date. 318 x 237 mm. (borderline) (Mayer 1923, 33, IV). R, V.
2. Mayer 1923, 33, II, records contemporary copy inscribed «*Jusepe de Ribera spanol en Napoles*».

3. Mayer 1923, 33, III, records copy inscribed «*le spagnolet inuent Napoli*».
4. Mayer, 1923, 33, V, records an engraving by Carupion, with a cock added on the rock.
5. No. 31, XXIII.
6. No. 35, VI.
7. No. 36, XXIII.

References: B. 7; Andresen 1873, II, 380, no. 6; Wessely 1882, 54, no. 4; Mayer 1923, 33, I-V; Brown 1973, no. 6; Pérez Sánchez 1978, pages unnumbered.

Bartsch list only one state. Andresen records state II, as does Wessely. In addition to Wyngaerde's initials in state II, Wessely also notes that the corners of the plate have been rounded off. However, this is not the case.

Early impressions are distinguished by deep, rich, black shadows, especially in the drapery. Good quality impressions are sometimes found in state II, although there is noticeable wear in the shadow behind Peter's ear. It is, in fact, the best of the «F. V. W.» states. As usual, Wyngaerde used brownish white paper instead of the grayish white paper preferred by Ribera.

As Pérez Sánchez 1978 has noted, the print follows the painting in the Colegiata de Osuna (fig. 25) datable ca. 1616-18. A related drawing is in a private collection, Paris (fig. 26).

7
STUDIES OF EARS

145 x 219 mm. Etching. Signed and dated: 1622; number «4» reversed in lower right corner.

I. Before division of plate and addition of false signature at left and initials of Frans van Wyngaerde. B, BM, EHF, V.

II. Initials *F. V. Wyn* added beneath lower borderline at left; initials *F.V.W.* added beneath lower borderline at right. A copy of Ribera's signature, *Jusepe Ribera español*, engraved on left half at bottom center inside borderline. An inkless groove 1 mm. wide, indicating where plate is to be cut, runs entire height of print. A only.

III. Plate divided into two parts:
   a. Left half (145 x 122 mm.). No borderline on right side. B, V.
   b. Right half (145 x 107 mm.). No borderline on left side. B, V.

Copies:
1. Partial imitation in engraving, showing two ears in center and upper right. 146 x 220 mm. B, F. Not related except by theme.
   a. Second state with added inscription: *Gioseppe de riuera Spanuolo fece a bolino.* Rodríguez Moñino considered this print to be a proof state of the original. BNM, N.
2. Imitation in engraving. Six ears arranged in two rows of three. 204 x 145 mm. F.
3. No. 30, VIII.
4. No. 30, IX.
5. No. 33, III.
6. No. 36, VIII.
7. No. 36, IX.

References: B. 17; Palomino 1947, 466; De Dominici 1742, 17; Gori Gandellini 1771, 157; Orellana 1930, 179; Ceán Bermúdez 1800, IV, 189; Nagler, *Lexicon*, 1843, XIII, 106; Wessely 1882, 54, no. 5; Mayer 1923, 45, 56-57; Trapier 1952, 29; Rodríguez Moñino 1965, 24; Brown 1973, no. 7.

State II, unrecorded before 1973, must be a proof made by Wyngaerde in order to determine where best to divide the plate. The impression in Amsterdam is unique so far; however, at least three impressions of this state exist for no. 9, which was also divided by Wyngaerde, suggesting that more than a single impression of this state of the print may have been made.

Numbers 7-9 have traditionally been considered as the vestiges of an instructional manual for beginning artists that Ribera began but left unfinished. The idea seems to have originated in a statement made by Palomino in 1715: «Dexó entre otros papeles de su mano una célebre escuela de principios de la Pintura...» Palomino did not associate these «papeles» with prints, but Orellana connected the «principios» with a book of engraved copies after Ribera's prints, including nos. 7-9 (Cat. no. 31): «Haverse sus principios estampado en Paris el año 1650 en casa de Pedro Mariette...» The mistaken identification of a commercial enterprise, intending to capitalize on the popularity of Ribera's prints, with an instructional manual by the artist himself, became fixed in the minds of later authors. In 1800, Ceán

Bermúdez wrote that a certain Francisco Fernández «grabó al agua fuerte unos principios de diseño, sacados de las estampas y grabados de Ribera; y el año de [1]650 se publicó en Paris un quaderno de estos mismos principios con el título *Livre de portraiture...*» Ceán increased the confusion by mistakenly identifying the French engraver Louis Elle Ferdinand with the Spanish painter Francisco Fernández (see no. 30). Nagler further complicated the question by identifying nos. 7-9 as parts of a book entitled *Tabulae de institutionibus praecipuis ad picturam necesariis ac inventae per Josephum River Spaniolette et Jacomo Palma, Gerardus Valck Excudit op den Dam—tot Amsterdam*. The title explicitly calls the book a manual for beginning artists, and in fact it contains engraved copies of nos. 7 and 8. But, as Mayer pointed out, the book was the work of Gerrit Valck (1651-1726), an Amsterdam publisher who had earlier reissued Louis Ferdinand's *Livre de portraiture*. The prints after Ribera in the *Tabulae* were simply appropriated from the earlier series. Mayer also identified the so-called works after Palma as copies of Guercino, and this correct identification surely explains the mistaken assertions of De Dominici and Gori Gandellini that the young Ribera had made engravings after Guercino. In short, the casual identification of collected copies after the prints with a supposed instructional manual lies behind the idea that nos. 7-9 were originally part of a didactic project conceived by Ribera.

Nevertheless, the idea cannot be dismissed even though arrived at through faulty reasoning, because the question remains—why were the prints made? As Trapier noted, the *Studies of Ears* carries a number «4» in reverse in the lower right corner that seems to have been written there by Ribera. The presence of this number implies that a fourth study sheet may have existed at one time. Andrew Robison (oral communication) has solved the problem of the missing fourth sheet by observing that it must have existed on the plate now etched with the *Large Grotesque Head* (no. 11).

As Robison pointed out, the remnants of a partially erased eye still are visible on the print when it is held sideways. Furthermore, he noted that its dimensions correspond almost exactly to the size of the three «Study Sheets», though the format of the print is vertical instead of horizontal. Hence, it is probable that four study sheets existed at one time, and that they were the beginning of a project that never reached completion.

In devising a series of didactic exercises, Ribera was following a tradition that dates back at least to the sixteenth century, when comparable prints were made by Palma il Giovane (B, 2-27) and Battista Franco. Trapier cites similar compilations of study sheets made in the seventeenth century by or after works of Fialetti, Reni, and Guercino. In addition, Luca Ciamberlino and Francesco Bricci made eighty-one prints after designs by Agostino Carracci (B. XVIII, pp. 159-170), some of which are strikingly similar to Ribera's sheets, though done at a later date. And Stefano Della Bella, later in the century, produced two «drawing books» with certain plates that are modeled on Ribera's prints (De Vesme 292-307 and 364-388). Pedagogical books for novice artists were an established part of the Renaissance tradition, but normally such treatises were accompanied by texts that the prints illustrated. Without a text, the value of the prints was limited to providing material for young artists to copy. In any case, Ribera's plan to produce a book of models appears to have died aborning. It must be supposed that the idea fleetingly occurred to him—he was after all a devoted draftsman—but that having made four prints for his series, he decided not to continue.

A drawing in the Metropolitan Museum of Art (Rogers Fund 1972, 17, fig. 27) is a preparatory study for this print.

8

STUDIES OF EYES

145 x 218 mm. Etching. Inscribed in etching by another hand: *Josephf Ribera español*. About 1622.

I. Before division of plate and addition of false signature at left and Frans van Wyngaerde's initials. BM, EHF, V.
II. Initials. *F. V. Wyn* added beneath lower borderline at left; initials *F. V. W.* added beneath lower borderline at right. False signature *Joseph Ribera español* engraved at bottom of left side of plate, inside borderline. An inkless groove 1 mm. wide, indicating where plate is to be cut, runs entire height of print. A only.
III. Plate divided in two.
    a. Left half (145 x 96 mm.). No borderline on right side. BNP, V.
    b. Right half (145 x 122 mm.). No borderline on left side. BNP, V.

Copies:
1. No. 30, III.
2. No. 30, IV.
3. No. 33, II.
4. No. 36, III.
5. No. 36, IV.

References: B. 15; Wessely 1882, 95, no. 5; Mayer 1923, 45; Brown 1973, no. 8.

For state II, see no. 7.
For discussion of the purpose of print, see no. 7.
The signature that appears on the right half of the print does not correspond to Ribera's usual manner of writing his name. In the first place, the spelling of the first name with an «f» at the end is incorrect. Secondly, the participle «de» has been omitted, and this was an integral part of the painter's name that he seems to have used without exception. Furthermore, the style of writing has the somewhat cramped and forced appearance that is characteristic of a copyist. However, no impressions of the print have yet been found in which it is not present, though logically such a preliminary state ought to exist. Hence, it is impossible to know whether it was a later addition or simply written by someone else at the time of execution, however unlikely that may seem.

9

STUDIES OF THE NOSE AND MOUTH

139 x 213 mm. Etching. Inscribed in etching by another hand: *Joseph Ribera español*. About 1622.

I. Before division of plate and addition of false signature at left and Frans van Wyngaerde's initials. BM, EHF, R, V.

II. False signature *Joseph Ribera español* added in engraving in lower left corner inside borderline. An inkless groove 1 mm. wide, indicating where plate is to be cut, runs entire height of print. A, P.

III. Plate divided in two.
  a. Left half (139 x 112 mm.). *F. V. W.* added beneath borderline. No borderline on right side, B. V. Madrid, Private collection.
  b. Right half (139 x 111 mm.). *F. V. Wyn.* added beneath borderline. No borderline on left side, B, V. Madrid, Private collection.

Copies:

1. Engraving of two open mouths, with number «5» in lower right corner. 145 x 191 mm. (borderline). BNP.
2. No. 30, VI.
3. No. 30, VII.
4. No. 33, IV.
5. No. 35, IV.
6. No. 36, VI.
7. No. 36, VII.

References: B. 16; Wessely 1882, 54, no. 5; Mayer 1923, 45; Trapier 1952, 275, note 27; Brown 1973, no. 9.

In addition to the two impressions of state II cited above, there is another in the Staatenmuseum, Copenhagen (rep. Trapier 1952, fig. 11).

As in no. 8, an imitation of Ribera's signature, using an incorrect form of the name, is etched on the print. In this case, the first name is spelled correctly, but again the «de» has been left out. The origin of this inscription is equally a mystery because no impressions of the print have been found where it does not occur.

A pen and ink drawing (Uffizi 10107 S), considered by Trapier to be a preparatory study, is a copy.

10

SMALL GROTESQUE HEAD

142 x 113 mm. Etching. Signed and dated: 1622.

I. Before initials of Frans van Wyngaerde. Partial double borderline along left side, running from lower left corner, 9 cm. high. A, BM, BOS, R. Manning, New York.

II. Initials *F. V. Wyn. ex.* added beneath lower borderline as follows: *F.* in left corner; *V.* in center; *Wyn. ex.* in right corner. Reworked in shadows at bridge of nose. Partial left borderline erased. A, BM, V.

Copies:

1. No. 30, XXI.
2. No. 36, XXI.

References: B. 8 and 8 I, II; Gori Gandellini 1771, III, 157, nos. 3-4; Gori Gandellini 1814 (by De Angelis) XIII, 278-280; Mayer 1923, 44; Brown 1973, no. 10.

In both states, the print has double borderlines at bottom about 1 cm. apart. According to Mayer, Gori Gandellini claimed that this print and no. 11 were part of a series of twelve grotesque heads. In fact, Gori Gandellini listed these two prints separately from the group he called «*dodici foglietti con teste ideali, e di deforme aspetto*». In the 1818 edition of Gori by Luigi de Angelis, the twelve heads were omitted from Ribera's oeuvre. They have not been traced and consequently may be considered as an erroneous entry by the not too reliable Gori Gandellini.

A preparatory drawing is in the collection of E. Schapiro, London-Paris (fig. 28).

The two men in nos. 10-11 are suffering from a benign tumor called Von Recklinhausen's, Disease (multiple neurofibromata).

11

LARGE GROTESQUE HEAD

217 x 145 mm. Etching with some engraving on cheek. Signed: hispanus. About 1622.

I. Before initials of Frans van Wyngaerde. B, BM, BOS, V.

II. Initials *F. V. W ex.* added directly under lower borderline as follows: *F.* in left corner; *V.* in center; *W. ex.* in right corner. BNP, NYPL, P, V.

Copies:

1. No. 30, XXII.
2. No. 33, VII.
3. No. 35, V.
4. Núm. 36, XXII.

References: B. 9 and 9 I, II; Brown 1973, no. 11.

See no. 7 for relation to «Study Sheets». At the right of the signature are traces of an erased monogram in reverse. In later impressions, it is not visible. The late impressions of the second state show noticeable wear in the shadows, especially around the left eye.

For a preparatory drawing, see fig. 29.

A drawing of a comparable subject is found in the Fitzwilliam Museum, Cambridge (P. D. 26, 1958).

12

THE MARTYRDOM OF SAINT BARTHOLOMEW

324 x 239 mm. Etching with some engraving. Signed and dated with inscription: *Dedico mis obras y esta estampa al Serenis*[mo] *Principe Philiberto mi Señor / en Napoles año 1624. Iusepe de Rivera Spañol.*

I. Before reworking. AC, BM, NYPL, V. Counterproofs are in B, V, and L. Baskin, Northampton, Mass.

II. Reworked with burin as follows: in shadows on tree following outline of left side of saint's body, beginning at upper arm and extending to triangular area between thigh and calf, where there is dense cross-hatching; in triangular shadow between ankles and along right outline of saint's right leg. BNP, P.

Copies:

1. Engraving in reverse, inscribed *M. B. BARTHOLOMAEI APPOS / Joseph de Ribera inuent. Cum Privilegio. A Paris chez Mariette, rue S*[t] *Jacques á l'Esperance.* 425 x 290 mm. (borderline). BNP.

2. Engraving in reverse, inscribed *Sancte Bartholomeae, Pedro Rodríguez 1638.* (Carrete 1986, fig. 495). BNM.

3. Etching in reverse with inscription *Iusepe de Rivera spañol en Napoles* in lower left corner. 306 x 240 mm. (Nagler, *Lexicon,* 1843, XIII, 105, no. 6). A, B, NYPL.
4. Engraving with partial copy in reverse, showing upper half of executioner and saint. 161 x 116 mm. (Mayer 1923, 47, no. 5). B, BR.
5. Mayer 1923, 47, no. 1, records copy inscribed *S Bartholomeus Steffano Scolari Forma a Vene*[a].
6. Mayer 1923, 47, no. 3, records copy with lengthy inscription and the following signature: *Dan Carlo Kommex delin. Philipp Kilian sculp.*
7. Mayer 1923, 47, no. 4, records copy of central group inscribed *A paris Chez Landry rue St. Jacques á St. Francois de Sales / S. BARTHOLOMAEUS.*
8. Engraving, copy in reverse, inscribed: *S. BARTHOLOMEUS.* 303 x 238 mm. A, C.
9. No. 30, XX.
10. No. 33, XII.
11. No. 35, II.
12. No. 36, XX.

References: B. 6; Wessely 1882, 54, no. 3; Mayer 1923, 47; Brown 1973, no. 12.

State II, which is not in Bartsch, was recorded by Wessely.

According to De Dominici, 1742, 4, Ribera apparently first invented this composition in a painting meant to be shown to the Duke of Osuna, viceroy of Naples, executed shortly after Ribera arrived in Naples (1616). A picture in the Shickman Collection, New York, although not attributable to Ribera, may reflect this work. A second version of the composition in the Colegiata de Osuna (fig. 30), done a few years later, shows the central group in an arrangement that is closer to the print. A third version, datable to about the same time as the etching but with yet a different arrangement of the figures, is in the Palazzo Pitti, Florence. The print does not correspond exactly to any of the above, but is rather an independent version of the subject.

A preparatory drawing in pen and ink is in the British Museum (Fawkener 5212-111; fig. 31). Another drawing has recently appeared which has been identified by the owner as a more-finished preparatory sketch (Th. Lauren-

tius, Voorschoten; fig. 32). However, it is in fact a skillful copy.

Two drawings in the Uffizi (10118 S and 10119 S) are copies.

For Prince Philibert of Savoy, see above note 12.

13
SAINT JEROME READING

194 x 257 mm. Etching with some engraving and drypoint. Inscribed in upper left with false monogram. About 1624.
Proof impression in B (893-21).
208 x 257 mm.
Collections: B, BM, BOS, BNP.
Copies:
1. Seventeenth-century etching in reverse, with monogram GR[a] in upper right corner. 186 x 246 mm. BM, NYPL, V.
2. Seventeenth-century engraving in reverse, unsigned and undated. 185 x 244 mm.

References: B. 3; Nagler, *Lexicon,* 1845, XIV, 25; Le Blanc 1854, III, 327; Nagler, *Monogrammisten,* 1863, III, no. 322; Wessely 1882, 54, no. 1; Mayer 1923, 41; Brown 1973, no. 13.

This is the only print in Ribera's oeuvre that exists in a trial proof. In the example in Berlin, a dedication that was subsequently omitted appears below the borderline. The inscription reads as follows: *Dedico mis obras y esta estampa al Serenis[mo] Principe Philiberto. mi Señor / en Napoles año 1624. Iusepe de Rivera Spañol.* This addition enlarges the size of the print to the following dimensions: 208 x 257 mm. The inscription is in every way identical to the one that appears in no. 12; Ribera simply stopped out the *Martyrdom of Saint Bartholomew,* so that only the dedication would print, and substituted the new composition of *Saint Jerome Reading* above it. The key to the origin of the inscription is found in the hatching that appears above the word *«dedico».* These lines represent the shadow cast by a rock lying in the left foreground of the *Martyrdom of Saint Bartholomew.* Apparently Ribera first intended to add a dedication to no. 13, directed once again to Prince Philibert of Savoy, but then changed his

mind. The reason for the change may very well have been the death of the prince, which occurred in August 1624. If this conjecture is correct, it would furnish additional evidence for dating the print to this year. In view of the extraordinary freshness of the Berlin impression —it was lightly inked but printed with great clarity— it could not be the work of a later hand. Mayer described the Berlin impression but failed to note the coincidence of the inscription.

Wessely described a second state with reworking in the shadows on the rock near the left borderline. These lines, however, are present in the earliest impressions. Le Blanc described the first state as the one «before the address»; however, a later state with an address has not yet been discovered.

The monogram on this print was not written by Ribera. In the first place, it does not conform to his style of writing. Secondly, Ribera invariably spelled his first name «Jusepe», the Valencian-Aragonese form of the name—not «Gioseppe» or «Giuseppe», as would have been common in seventeenth-century Italian. However, it is not clear when the monogram was added. Logically, there should be a state preceding the only one known, without the monogram, but no examples of it have as yet appeared. Nagler in *Monogrammisten* noted the orthographical error and pointed out that Ribera always used the initials «J. R.». In *Lexicon* Nagler recorded the fact that at a Leipzig auction held on April 27, 1821, the print appeared with an attribution to Guido Ruggieri, but the implication that this artist added the monogram is without foundation, if only because «GR[a]» would not be an appropriate abbreviation of his name.

In the earliest impressions, the print is distinguished by a gray tonality, the result of ink having been left on the plate, that substantially enhances its quality. The extremely fine lines on the head and cheekbone quickly wore out, so that the full subtlety of the technique is ap-

parent only in the earliest impressions. A number of fine scratchmarks in the sky, on the saint's body, and on the rock also disappear later on, as does a small cloud, indicated by thin, light lines, that is found on the right margin about 5 cm. above the broken branch.

The composition is loosely based on Caravaggio's *Saint Jerome* of ca. 1605 in the Borghese Gallery, Rome. Vitzthum 1971, figs. 8 and 9, published two drawings of the theme by Ribera as preparatory studies; however, they may be regarded as independent variations of the theme done at a later date.

14
DRUNKEN SILENUS

272 x 350 mm. Etching with some engraving. Signed and dated: *Joseph a Ribera Hisp^S Valenti^S / Setaben. f. Partenope / 1628.*

I. With signature and date. A, BM, MMA. Counterproofs are in A, B, BOS, and N.

II. Dedication added in bottom center beneath Silenus's drapery: *Al Molto III^{re} Sr Don Gioseppe Balsamo Barone di Cattasi, Giorato dell III^{mo} / Senato della nobile Citta di Messina / Giovanni Orlandi Romano. D. D.* BM, MMA.

III. Publisher's name and date added in lower left corner: *alla Pace Gio Iacomo Rossi formis Roma 1649.* AC, BM, CN, PH.

Copies:

1. Seventeenth-century etching in reverse inscribed on stone lower left corner: *Joseph à Ribera Hisp^S Valenti^S / Setaben. f. Partenope 1628.* 267 x 348 mm. AC, B, C, BNP.

2. Seventeenth-century etching in reverse inscribed: *Joseph a Ribera Hisp^S. Valenti^S / Setaben Partenope. Romae. D. D.* 269 x 348 mm. BM, BNP, N.

3. Free version in etching by Francesco Burani (B. 1). 263 x 380 mm. (repr. Trapier 1952, fig. 172).

4. Mayer 1923, 51, V, records an anonymous copy in reverse.

References: B. 13; Nagler, *Lexicon*, 1843, XIII, 105-106; Mayer 1923, 51; Petrucci 1952, 105, no. 741; Brown 1973, no. 14.

Bartsch lists only one state of this print. Nagler identified the three states given above and a number of copies. Mayer, who described only two states, mistakenly identified state III as state II. In late impressions of states II and all impressions of state III, the etched lines in the shadows have mostly deteriorated, leaving only the engraved lines. In these prints, there is a misleading impression of later reworking.

The plate is preserved in the Calcografia Nazionale (Petrucci). In 1933-1934, a large edition of state III was made on modern paper. It bears the stamp of the Calcografia Nazionale (C. N.) in the left-hand corner of the paper, well outside the platemark. Most of the lines in the shadows are completely worn, as they are in state III.

Ribera's signature records the Latin patronymic of the country, province, and town of his birth—Hispanus (Spain), Valentinus (Valencia), Setabensis (Játiva)—and the Greek name of the place where the print was made, Partenope (Naples). The dedicatory inscription in state II was not signed by Ribera, but rather by a certain Giovanni Orlandi of Rome. Since the print was ultimately acquired in 1649 by a Roman publisher, it is possible that Ribera sold the plate to Orlandi, who used it for his purposes and sold it in turn to Giacomo de Rossi. In 1738, the plate was acquired by the Calcografia Nazionale.

The composition is an adaptation of Ribera's painting of 1626, now in Naples, Capodimonte (fig. 33).

Chenault Porter 1979, correctly identifies the satyr as Pan and also suggests a bewildering variety of possible sources for the pose of Silenus, thus demonstrating that it was a commonplace in the art of antiquity and the Renaissance. However, as Trapier 1952, 241 noted, a comparable pose was used by Ribera in an earlier drawing of *Samson and Delilah* (Córdoba, Museo de Bellas Artes), which is a study for a lost painting in the Spanish royal collection.

Bellini 1975, 19-20, proposes the attribution to Ribera of a print (Naples, San Martino), which is a composite of motifs from the *Drunken Silenus* and *St. Jerome Reading*. As Spinosa 1979, 95, no. 25, notes, this print is a «*derivazione*» and is related to the numerous collections of prints after Ribera described by Brown 1973, 83-86, nos. 30-37.

Spear 1983 hypothesizes that the subject may be interpreted as an allegory of poetic inspiration. He identifies the figure in shadow in the background as Apollo.

15
COAT OF ARMS OF THE MARQUIS OF TARIFA

244 x 179 mm. Etching, with engraving by anonymous collaborator. About 1629-1633.

Collections: BNP and V only.

Copies:

1. No. 30, XIX (putti only).

2. No. 36, XIX (putti only).

References: B. 18; Mayer 1923, 54; Trapier 1952, 101-102; Darby 1953, 68-69; Brown 1973, no. 15.

This print is the result of a collaboration between Ribera and an anonymous decorative engraver who was responsible for executing the heraldic crest. The crest is a typical example of decorative engraving of the period—competent but mechanical. Given Ribera's limited use of the burin to strengthen shadows in his etchings, it seems unlikely that he would have been prepared for the disciplined engraving found here. Mayer was perhaps misled by the intervention of another hand and rejected the attribution. However, the putti are fully compatible with Ribera's etching style. In addition, Trapier established the relationship between the putti and the ones in a painting by Ribera done around 1630, *The Holy Family Appearing to Saint Bruno* (Naples, Palazzo Reale; fig. 34). A further indication of its authenticity is the fact that the putti alone appear in Louis Ferdinand's 1650 edition of engraving after Ribera's prints (no. 30, XIX).

The date and the purpose of the print are interrelated problems. The Marqués del Saltillo 1940-41, 246-247, published extracts from a series of letters written in 1634-1635 by the Duke of Alcalá, then

viceroy of Sicily, to his Neapolitan agent, Sancho de Céspedes. The subject of these letters was a print that Ribera was to make for a frontispiece to a book of the Duke's viceregal decrees. The completion of the plate was noted in a letter of August 20, 1635. Trapier identified this print with no. 15. She further hypothesized that it might have served as the frontispiece to a book entitled *Pragmaticum Regni Siciliae, novissima collectio,* Palermo, 1635 and 1637. However, a copy of this book in the School of Law Library, Yale University, contains only a crude engraving that serves as the title page. D. F. Darby subsequently analyzed the heraldry of the escutcheon and convincingly established that it did not belong to the Duke of Alcalá but to his ill-fated son, the Marquis of Tarifa, who died in 1633 at the age of nineteen. A *terminus post quem* is given by the cross of the Order of Alcántara, into which the young Marquis was admitted in 1629. It is possible that the print was made to commemorate the event. This hypothesis unfortunately creates as well as solves problems; namely, how was the print used, and what became of the plate commissioned by the Duke of Alcalá that was ready to print on August 20, 1635?

Regarding the purpose of the print, Darby tentatively suggested that print served as a frontispiece for the edition of the Marquis's poem, *La fábula de Mirra,* Naples, 1631. However, it does not appear in this book (Hispanic Society of America, N. Y.). The inclusion of the print in a book would explain its rarity as an independent work.

The fate of the plate ordered by the Duke of Alcalá equally remains a mystery. However, it is worth noting that an exact description of the Duke's print was never given in the correspondence. A drawing was supplied for Ribera to copy, but its composition is never described in the Duke's letters. It cannot be assumed that it was in fact his coat of arms, nor indeed that the plate was ever

printed. I have been unable so far to discover a copy of the book of his laws and decrees, which, if it exists, would help to answer the question.

16
EQUESTRIAN PORTRAIT OF DON JUAN DE AUSTRIA

350 x 270 mm. Etching. Signed and dated: *Jusepe de Rivera f./1648.* Inscribed in upper center: *El S^{mo} Sr Don Iuan de Austria.*

I.   Before reworking and addition of borderline BM, BNP, R, V.

II. Extensive reworking in engraving. Moustache added, shadow on face strengthened. Lines added to hat, hair, cityscape, horse's breast, rocks in lower right, ground line and sky. Borderline added. BM only.

III. Inscription altered to read: *Carolus. II. DEI. GRATIA. HISPANIARUM. / ET. INDIARUM. REX. ETC.: Gaspar de Hollander occud. Antwerpia op de meer.* Date altered to read: *1670.* In engraving two putti added holding crown above head. In upper right corner another putto holds Spanish royal coat of arms. Moustache has been removed. V.

References: B. 14; Nagler, *Lexicon,* 1843, XIII, 106; Mayer 1923, 155; Brown 1973, núm. 16.

Bartsch lists only one state. Nagler's state II is state III. Mayer considered state II to be a copy. In state III, as noted above, the identity of the sitter was changed to King Charles II of Spain. The composition was adapted from Ribera's painting of the same subject (fig. 35).

17
THE LAMENTATION

199 x 253 mm. Etching. Ca. 1620-21.

I.   Before monogram. IN 72627, Ac. 45.

II. Monogram *GR* in reverse added in lower left corner. MMA, V, New York, private collection. Madrid, private Collection.

Copy: Etching in reverse by Ludovico Mattioli (1662-1747), inscribed in lower left corner: *Guido Renus Inv.,* and in lower right corner: *Ludovicus Matthiolus f.* (B. 9). IN.

References: B. 1; Basan 1767, II, 413-414; Mayer 1923, 110-113; Angulo Iñiguez 1958, 341; Felton 1969, 5 and 9; MacLaren-Braham

1970, 92 and 93, note 7; Brown 1973, no. 17; Sopher 1978, no. 158; Spinosa 1979, 87; Brown 1982, 72.

This print has been the most controversial of the attributions to Ribera. Basan was the first to identify it as an authentic work and was followed by all writers until Mayer, who thought that it had been reworked by a pupil. Braham observed that the plate had not been reworked except for the addition of the ladder (although it also appears in state I), and concluded that the print seemed «too coarse to be the work of Ribera himself». In Brown 1973, I argued against the authenticity on technical and stylistic grounds. However, both Sopher and Spinosa defended the authenticity and, upon reconsidering the question, I accepted their arguments (Brown 1982). While it is true that the print lacks the technical sophistication of works such as the *Penitence of Saint Peter,* not to mention others that were done later in decade such as the *Martyrdom of Saint Bartholomew* and the *Drunken Silenus,* it conforms to prints such as the two versions of *Saint Jerome Hearing the Trumpet of the Last Judgment,* which show the same rough handling of the burin.

Another argument in its favor is an impression of *Saint Jerome Reading* in the Museum of Fine Arts, Boston (Peoli Collection 50.288), which has a *maculature* of no. 17 on the verso. Contrary to my interpretation of this impression in 1973, I now believe that it offers important circumstantial evidence for the authenticity of the print.

The composition was related by Milicua, 1952, to a painting of a «*Christo Deposto*» described around 1620 by Mancini. This suggestion is plausible but not provable. Ribera habitually revised his compositions by transposing and rearranging the figural elements. Variants of the Lamentation composition are found, for example, in his paintings of the subject in the National Gallery, London (1620s) (fig. 36) and the Certosa

di San Martino, Naples (1637). Given the artist's practice of introducing changes even in prints based upon paintings, it would be risky to suggest that no. 17 exactly reproduces the «Christo Deposto» mentioned by Mancini.

The attribution of the invention of the composition to Guido Reni found on the eighteenth-century copy by Ludovico Mattioli is probably the result of his misinterpretation of the monogram «GR», which was added in state II. The style bears no relation to Reni's prints.

18
CUPID WHIPPING A SATYR

164 x 205 mm. Etching. Signed.
Collections: BM, MMA, V, New York, private collection.
Copy: Etching, in reverse, signed under lower borderline: *H. Cooke Sen. in.* 149 x 192 mm. MMA.
References: B. 12; Gori Gandellini 1771, III, 155-158, no. 5; Nagler, *Monogrammisten,* 1864, IV, no. 1365; Woermann 1890, 150; Mayer 1923, 54; Petrucci 1952, 87, no. 580; Brown 1973, no. 18.

The print has held an uncertain place in the catalogue of Ribera's etchings. It was first attributed to Ribera by Gori Gandellini, perhaps because of the thematic similarity to a drawing by Ribera in the Musée Condé, Chantilly (L. V. 159, fig. 37; copy in Real Academia de Bellas Artes, Madrid). Bartsch included it in his catalogue despite the monogram. However, it was rejected first by Nagler and then by Woermann, Mayer and Brown.

The monogram has been read in various ways. To Bartsch it was «SN», to Mayer «SV» or «SNJ». Nagler rightly interpreted the letters as «S.L.N.» and tentatively attributed the print to the obscure Roman artist Lorenzo Nelli (d. 1708). While Nagler's reading of the monograms is correct, it is impossible to determine the order of the letters.

In any case, the reading of the monogram has no bearing on the attribution of the print, which is definitely by Ribe-

ra's hand. The broken tree-trunk is a familiar motif in the artist's repertory and closely resembles the treatment of this same element in the *Martyrdom of Saint Bartholomew.* In other respects, too, the print conforms to Ribera's style. The close hatching with short, fluid lines is found in such works as the *Penitence of Saint Peter.* However, the absence of stippling makes the etching more readily comparable to drawings of the 1620s, such as fig. 1.

Later impressions (BPR) were made in the eighteenth century, possibly after the plate was acquired by the Calcografia Nazionale, Rome, where it still remains (Petrucci).

19
BATTLE BETWEEN A CENTAUR AND A TRITON

117 x 165 mm. Etching.
Collections: BM, MMA.
References: B. 11; Nagler, *Lexicon,* 1843, XIII, 105; Woermann 1890, 150; Mayer 1923, 54; Brown 1973, no. 19.

The print was first attributed to Ribera by Bartsch and also accepted by Nagler, *Lexicon.* Woermann was the first to exclude it, followed by Mayer. This crude work is in no way related to Ribera's style, being much inferior to it.

20
REST ON THE FLIGHT INTO EGYPT

291 x 226 mm. Engraving. Inscribed: *Carolus Saracenus Invent.*
I.   Before monogram, BM. NYPL. Counterproofs are in C, IN, and NYPL.
II.   Monogram added. Directly under lower borderline initials *F. V. Wyn. ex.* added. B, BM.
Copy: Engraving. 289 x 225 mm. BOS.
References: B. «*pièce douteuse*»; Robert-Dumesnil 1841, V, 78, no. 1; Valentiner 1932, 114-121; Pariset 1935, 244-245; Brown 1973, no. 20.

This fine print was attributed to Jean Le Clerc by Robert-Dumesnil and Pariset. It reproduces a painting of 1606 by Carlo Saraceni for the Eremeo dei Camaldolesi, Chiesa di San Romualdo, Frascati. Following a common practice of Netherlandish publishers, Wyngaerde sometimes added famous names to works by minor artists (see Valentiner and Pariset). Thus, the false signature furnishes additional proof of the demand for prints by Ribera.

21
HEAD OF AN OLD MAN

134 x 95 mm. Engraving signed with false monogram in upper left corner:
Collections: C, V.

This seventeenth-century engraving, probably of Flemish origin, shows the head and shoulders of a bearded man, seen three-quarter profile, looking down and to the right. Like no. 20, it is a forgery.

22

STANDING WARRIOR

182 x 120 mm. Etching signed in lower right corner.
Collections: BNP.
References: Brown 1973, no. 22.

The print represents a warrior wearing a short tunic and sandals laced to the calf. On his head is a turban with two feathers on the right side. He holds a shorthandled pike in his right hand.
This print is closer to Salvator Rosa than it is to Ribera. The monogram appears to be contemporary with the print, which was probably done in the late seventeenth century. The resemblance of the monogram to the one used by Ribera may be an innocent coincidence.

23

GIRL WITH A HARP

120 x 115 mm. Etching signed and dated with false monogram in lower right corner: ARibera 1621.
Collections: NYPL.
References: Brown 1973, no. 22.

A young woman with long hair, shown from the waist up, holds a five-stringed harp against her right side. The print is a nineteenth-century work in the Pre-Raphaelite manner.

24

HEAD OF A MONK
IN PRAYER

115 x 102 mm. Etching with a false signature in lower center: ARibera.
Collections: NYPL.
References: Guiffrey 1866, no. 53; Brown 1973, no. 24.

Numbers 24-29 are forgeries based on later states of prints by Charles Jacque to which Ribera's signature was added. They are curious relics of a revival of interest in Ribera's art occurred in the later nineteenth century, perhaps as a result of the Galerie Espagnole at the Louvre.

25

YOUNG MAN READING BY
CANDLELIGHT

108 x 100 mm. Etching signed with false signature in lower left corner: ARibera 1621.
Collections: NYPL.
References: Guiffrey 1866, no. 55; Brown 1973, no. 25.

This is the second state of a print by Charles Jacque.

26

MONK READING

112 x 106 mm. Etching signed with false signature and date in lower right: ARibera 1621.
Collections: NYPL.
References: Guiffrey 1866, no. 50; Brown 1973, no. 26.

This is the third state of a print by Charles Jacque.

27

LAUGHING MAN

118 x 111 mm. Etching signed with false signature and date on right arm: ARibera 1621.
Collections: NYPL.
References: Guiffrey 1866, ·no. 285; Brown 1973, no. 26.

This state is not recorded by Guiffrey.

28

THE GUITAR PLAYER

103 x 104 mm. Etching signed with false signature and date in lower right: ARibera 1621.
Collections: NYPL.
References: Guiffrey 1866, no. 308; Brown 1973, no. 28.

This state is not recorded by Guiffrey.

29

MAN WITH LONG HAIR
AND MOUSTACHE

71 x 75 mm. Etching signed in lower center: *Ribera*.
Collections: NYPL.
References: Guiffrey 1866, no. 314; Brown 1973, no. 29.

This state is not recorded by Guiffrey.

30

LIVRE DE PORTRAITURE
RECEUILLY DES OEUVRES
DE IOSEPH DE RIBERA DIT
L'ESPAGNOLET ET GRAVE
A L'EAU FORTE PAR LOUIS
FERDINAND. A Paris chez
Nicolas Langlois rue
Sainct Jacques à la Victoire.

160 x 220 mm. (average size, borderlines).
22 etchings, numbered in arabic numerals
in lower right corner. (Numbers in parentheses refer to catalogue number on which
copy is based).

I. Title page (no. 15).
II. Four geometric studies of head (not related to Ribera).
III. Six studies of eyes (no. 8, IIIb).
IV. Seven studies of eyes, four in profile (no. 8, IIIa).
V. Twelve studies of noses and mouths (not related to Ribera).
VI. Four studies of noses and mouths (no. 9, IIIa).
VII. Three studies of noses and mouths (no. 9, IIIb).
VIII. Five studies of ears (no. 7, IIIb).
IX. Four studies of ears (no. 7, IIIa).
X. Four heads (not related to Ribera).
XI. Eight studies of feet (not related to Ribera).
XII. Six studies of hands (including Saint Jerome's writing hand, no. 5; Saint Jerome's gesticulating hand, no. 4; Saint Bartholomew's left hand, no. 12).
XIII. Three studies of legs and feet (including lower part of Silenus, no. 14, and left leg of Saint Bartholomew, no. 12).
XIV. Four studies of legs and feet (including lower part of Silenus, no. 14, and right legs of Saint Jerome, no. 15).
XV. Four studies of arms and hands (including torso of Saint Jerome, no. 13, and Silenus, no. 14).
XVI. Five studies of arms and hands (from no. 14).
XVII. Two studies of legs (from no. 4).
XVIII. Angel with horn (from no. 5).
XIX. Two putti (from no. 15, without shield).
XX. Executioner and part of Saint Bartholomew (from no. 12).
XXI. No. 10, reversed.
XXII. No. 11, reversed.

Collections: BNP.
References: Orellana 1930, 182; Ceán Bermúdez 1800, IV, 189; Mayer 1923, 55-56; Baticle 1962, 88; Rodríguez Moñino 1965, 23-27; Kubler 1965, 440; Angulo Iñiguez and Pérez Sánchez 1969, 266, note 3; Brown 1973, no. 30.

This is the first edition of the *Livre de portraiture*. Although it is not dated, the date of the second edition, 1650 (which Mayer mistakenly included in his quotation of the title), indicates approximately when it was published.

The identification of the printmaker has been the subject of much confusion. He has been called both Luis Fernández and Francisco Fernández. The first name was proposed, incorrectly as Angulo and Pérez Sánchez pointed out, by Orellana. Luis Fernández was a pupil of Eugenio Caxés, but was not an engraver. The second name was introduced by Ceán Bermúdez and is often accepted as correct (Rodríguez Moñino and Kubler). Francisco Fernández (1605-1646) did make engravings and his works include plates for Carducho's *Diálogos de la pintura* (Madrid, 1633). However, the real author was the man listed in the title, Louis Elle, called Ferdinand (Baticle). Louis Ferdinand (1612-1689) was a Parisian portrait painter and engraver, who frequently made prints after works by other artists. He was occasionally employed by the Mariettes, for whom he made additional prints for this book when they acquired the plates from Nicolas Langlois (no. 31). Another of his works is the *Livre original de la portraiture pour la jeunesse tiré de F. Bologne et autres bon peintres. A Paris chez Pierre Mariette le fils Rue S. Jacques aux Colonnes d'Hercules*. It is similar in concept to the book after Ribera's prints.

These prints were occasionally detached from the book and appear separately. Hence the dimensions of the prints are given above as measured to the borderlines. Sometimes the plate number has been erased, probably with the intention of fraud.

31

LIVRE DE PORTRAITURE RECEUILLY DES OEUVRES DE JOSEPH DE RIVERA DIT L'ESPAGNOLET ET GRAVE A L'EAU FORTE PAR LOUIS FERDINAND. A Paris chez Nicolas Langlois rue St. Jacques à l'Enseigne del'Esperance 1650

160 x 220 mm. (average size, borderlines). 24 etchings, numbered in arabic numerals in lower right corner.
Collections: BIAA, BNP.
References: Weigert 1953, 167-188; Paris, Mariette 1967, 168-169; Brown 1973, no. 31.

This is the second edition of no. 30, with two plates added.

XXIII. Saint Peter from waist up, in reverse (no. 6).
XXIV. No. 3, in reverse.

The publisher of this edition was Pierre Mariette I (ca. 1602-1657), the founder of the noted family of publishers, collectors, and connoisseurs (Weigert). He started a famous collection of prints that was continued by his son, Pierre II (1634-1716), who inherited his father's interest in Ribera's prints and collected at least eleven of them, on which he wrote in ink his signature and date of acquisition. The collection included the following prints (date of acquisition in parentheses):

a. No. 3, Boston (1661).
b. No. 15, Paris BN (1667).
c. No. 11, Vienna (1667).
d. No. 10, Vienna (1667).
e. No. 4, V, Metropolitan (1674).
f. No. 11, Washington, Library of Congress (1674).
g. No. 14, II, British Museum (1674).
h. No. 12, coll. Leonard Baskin, Northampton, Mass. (1674).
i. No. 14, I, Vienna (1677).
j. No. 11, I, coll. Robert Manning, New York (1679).
k. No. 4, I, art market, Paris (1699).

32

LIVRE DE PORTRAITURE RECEUILLY DES OEUVRES DE IOSEPH DE RIBERA DIT L'ESPAGNOLET. G. VALCK EXCUDIT

160 x 220 mm. (average size, borderlines). 24 etchings, numbered in arabic numerals in lower right corner.
Collections: BR.
References: Fiorillo 1806, IV, 235; Mayer 1923, 56, II-III; Brown 1973, no. 32.

This is a reissue of no. 31 with a new title page.
Gerrit Valck (1651-1726) was an Amsterdam publisher. His edition of Ferdinand's plates appeared around 1700; a copy in Brussels is in a binding dated 1703. Plates II, III, and VIII were subsequently included in Valck's publication entitled *Tabulae de institutionibus praecipuis ad picturam necessariis ad inventae per Josephum River Spaniolette et Jacomo Palma* (Fiorillo). As Mayer pointed out, the works supposedly after Palma are actually after Guercino.

33

COLLECTION OF TWELVE ENGRAVINGS

265 x 205 mm. (average size, borderlines). Signed on plate I: *Ioseph Ribera Español Invent. AB ex.* Plates are numbered in arabic numerals in lower right corner.

I. No. 3. In lower left corner, the number «3». In lower right corner, the number «1».
II. Studies of eyes (no. 8, rearranged into four rows of three eyes).
III. Studies of ears (no. 7, rearranged into three rows of three ears).
IV. Studies of mouths (no. 9).
V. Five studies of heads (including head of Silenus, no. 14; head of satyr, no. 14; no. 10 and two classical busts in profile).
VI. Three heads (including head of Saint Jerome, no. 5 and no. 13).
VII. No. 11 in reverse.
VIII. Ten studies of hands and arms (including hand of Saint Jerome from no. 5 and no. 13).
IX. Eleven studies of feet.
X. Four studies of legs (including no. 4, no. 13, and Silenus, no. 14).

XI. No. 4 in reverse minus arms and trumpet.
XII. Saint Bartholomew and executioner from no. 12.
Collections: VA.
References: Mayer 1923, 57, IV; Brown 1973, no. 33.

This collection would seem to have been made in the seventeenth century and published by a certain AB, who remains unidentified. Once again, sheets were detached from the book and pass as independent prints.

34

COLLECTION OF TEN ENGRAVINGS

265 x 205 mm. (average size, borderlines). Inscribed on plate I: *Ioseph Ribera Español Invent. AB ex.* Plates are numbered in arabic numerals in lower right corner.
Collections: Princeton, private collection.
References: Brown 1973, no. 34.

This another edition of no. 33, minus plates VI and IX. The numbers are identical through plate V and change as follows:

VI. No. 11 in reverse.
VII. Ten studies of hands and arms (including hand of Saint Jerome from no. 5 and no. 13).
VIII. Four studies of legs (including no. 4, no. 13, and Silenus, no. 14).
IX. No. 4 in reverse minus arms and trumpet.
X. Saint Bartholomew and executioner from no. 12. This plate is unnumbered; instead an undecipherable mark appears, possibly the result of erasure.

It seems probable that this is a second, abbreviated edition of no. 33, given the partial erasure of the number of plate X, which is plate XII in the other edition.

35

COLLECTION OF SEVEN ENGRAVINGS

150 x 125 mm. (average size, borderlines).
I.   No. 3 in reverse.
II.   Executioner and left side of Saint Bartholomew, half-length (no. 12).
III. Three studies of noses and mouths (no. 9).
IV.   Four studies of noses and mouths (no. 9).
V.   No. 11, with false signature partially erased.
VI.   No. 6, from waist up.
VII. Four studies of legs, including Silenus, no. 14, and two details of Saint Jerome, no. 5.
Collections: BPR.
References: Brown 1973, no. 35.

This collection of engravings is bound in a volume of miscellaneous prints found in Madrid, Biblioteca del Palacio Real (*Autori Varii,* sig. IY2, fols. 291 and 293). Given their similar size and style, the prints were probably conceived as a series, though whether they were ever published in book form is unknown. They appear to have been made in the seventeenth century.

36

LIVRO DE PRINCIPIOS PARA APRENDER A DIBUXAR SACADO POR LAS OBRAS DE JOSEPH DE RIBERA LLAMADO (BULGARM,[TE]) EL ESPAÑOLETO.

Se hallará en la librería de Anto[io] del Castillo, y en su puesto, gradas de S[n] Phelipe el Real. Iuan Barcelón las gravó en Madrid.

160 x 130 mm. (size of book). 24 engravings by Juan Barcelón, published in Madrid, 1774.
Collections: BNM.
References: Orellana 1930, 179; Páez Ríos 1958, 311-318; Rodríguez Moñino 1965, 25-26; Brown 1973, no. 36.

As Rodríguez Moñino noted, this book is a replica of the second edition of Louis Ferdinand's prints after Ribera (no. 31), made by the eighteenth-century Mur-

cian engraver Juan Barcelón. The collection is undated, but according to Orellana it was published on July 21, 1774.

37

LIVRE DE PORTRAITURE RECEUILLY DES OEUVRES DE IOSEPH DE RIBERA DIT L'ESPAGNOLETO.

Se hallará en la librería de Anto[io] del Castillo, y en su puesto, gradas de S[n] Phelipe el Real. Iuan Barcelón las gravó en Madrid.

Collections: BNM.
References: Brown 1973, no. 37.

This is an undated reissue of no. 36.

BARTSCH	PRESENT CATALOGUE
1	17
2	1
3	13
4	5
5	4
6	12
7	6
8	10
9	11
10	3
11	19
12	18
13	14
14	16
15	8
16	9
17	7
18	15
douteuse	20

BIBLIOGRAFÍA

Bibliography

BIBLIOGRAFÍA Y OBRAS CITADAS

ANDRESEN, Andreas: *Handbuch für Kupferstichsammlung oder Lexicon der Kupferstecher, Maler-Radirer und Formschneider aller Ländern und Schulen.* Leipzig, 1873.

ANGULO IÑIGUEZ, Diego, y PÉREZ SÁNCHEZ, Alfonso E.: *Historia de la pintura española. Escuela madrileña del primer tercio del siglo XVII.* Madrid, 1969.

BARTSCH, Adam: *Le peintre-graveur, XX.* Viena, 1820.

BASAN, Pierre François: *Dictionnaire des graveurs anciens et modernes depuis l'origine de la gravure, II.* París, 1767.

BATICLE, Jeanine: «Remarques sur les relations artistiques entre la France et l'Espagne au XVIIe siècle», *Revue du Louvre,* XII, n.º 6, 1962, pp. 281-292.

BERTOLOTTI, Davide: *Compendio della istoria della r. casa di Savoia.* Turín, 1830.

BROWN, Jonathan: *Jusepe de Ribera. Prints and Drawings.* Princeton, 1973.
«The Prints and Drawings of Jusepe de Ribera». En *Jusepe de Ribera, lo Spagnoletto, 1591-1652.* Fort Worth, 1982, pp. 70-90.

BROWN, Jonathan, y KAGAN, Richard L.: «The Duke of Alcalá: His Collection and Its Evolution». *Art Bulletin,* 69 (1987), pp. 231-255.

CARRETE PARRONDO, Juan: «Grabado y pintura». En *El Grabado en España (siglos XV al XVIII).* Summa Artis, vol. 21. Madrid, 1987.

CASALE, Vittorio, y CALVESI, Maurizio: *Le incisioni dei Carracci.* Roma, 1965.

CATURLA, María Luisa: «Ternura y primor de Zurbarán», *Goya,* mayo-junio, 1959, pp. 342-345.

CEÁN BERMÚDEZ, Juan Agustín: *Diccionario histórico de los más ilustres profesores de bellas artes en España, IV.* Madrid, 1800.

CHENAULT PORTER, Jeanne: «Ribera's Assimilation of a Silenus», *Paragone,* 355 (1979), pp. 41-54.

CZOBOR, Agnes: «On Some Late Works by Pier Francesco Mola», *Burlington Magazine,* CX, 1968, pp. 565-573.

DARBY, Delphine F.: Review of Trapier, *Ribera,* 1952. *Art Bulletin,* XXXV, 1953, pp. 68-74.

DE DOMINICI, Bernardo: *Vite de' pittori, scultori, ed architetti napoletani, III.* Nápoles, 1742.

DE GRAZIA BOHLIN, Diane: *Prints and Related Drawings by the Carracci Family. A Catalogue Raisonné.* Bloomington y Londres, 1979.

DÉZALLIERS D'ARGENVILLE, Antoine J.: *Abrégé de la vie de plus fameux peintres, I.* París, 1745.

ESTELLA, Margarita: «Portapaz de San Bartolomé en la Catedral de Santiago de Compostela», *Archivo Español de Arte,* XXXIX, 1966, p. 201.

FELTON, Craig: «More Early Paintings by Jusepe de Ribera», *Storia dell'Arte,* 26 (1976), pp. 34-43.
«The Paintings of Ribera». En *Jusepe de Ribera, lo Spagnoletto, 1591-1652.* Fort Worth, 1982, pp. 44-69.

GOMBRICH, Ernst: *Art and Illusion. A Study in the Psychology of Pictorial Representation.* Princeton, 1969.

GORI GANDELLINI, Giovanni: *Notizie istoriche degl' intagliatori, III.* Siena, 1771.
Notizie degl' intagliatori con osservazioni critiche raccolte da vari scrittori, XIII. 2.ª ed., de Luigi de Angelis. Siena, 1814.

GUIFFREY, J.-J.: *L'oeuvre de Ch. Jacque. Catalogue de ses eaux-fortes et pointes-séches.* París, 1866.

HIND, Arthur M.: *A History of Engraving and Etching from the 15th Century to the Year 1914.* 3.ª ed. Londres, 1922.

HUBER, Michel: *Manuel des curieux et des amateurs de l'art, III.* Zurich, 1800.

KONĚCNÝ, Lubomir: «Shades of Leonardo in an Etching by Jusepe de Ribera», *Gazette des Beaux Arts,* 95 (1980), pp. 91-95.

KRISTELLER, Paul: *Kupferstich und Holzschmitt in Vier Jahrhundert.* 2.ª ed. Berlín, 1911.

KUBLER, George: «Vicente Carducho's Allegories of Painting», *Art Bulletin,* XLVII, 1965, pp. 439-445.

LE BLANC, Charles: *Manuel de l'amateur d'estampes, III.* París, 1854.

LOZOYA, Marqués de: «Lienzos de Ribera en el Palacio Real y en el monasterio de la Encarnación», *Archivo Español de Arte,* XXXVII, 1964, pp. 1-5.

MAC LAREN, Neil: *National Gallery Catalogues: The Spanish School.* 2.ª ed., revisada por Allan Braham. Londres, 1970.

MAYER, August L.: *Jusepe de Ribera (Lo Spagnoletto).* 2.ª ed. Leipzig, 1923.

MILICUA, José: «El centenario de Ribera: Ribera en Roma, el manuscrito de Mancini», *Archivo Español de Arte,* 25 (1952), pp. 309-322.

MOFFITT, John F.: «Observations on *The Poet* by Ribera», *Paragone,* 337 (1978), pp. 75-90.

NAGLER, Georg K.: *Neues allgemeines Kunstler-Lexicon, XIII.* Munich, 1843.
Die Monogrammisten, I (1858); II (1860); III (1863); IV (1864); V (1879). Leipzig.

ORELLANA, Marcos Antonio de: *Biografía pictórica valentina.* 1.ª ed., X. de Salas. Madrid, 1930.

PÁEZ RÍOS, Elena: «Juan Barcelón, grabador murciano», *Revista de Archivos, Bibliotecas y Museos,* LXVI, 1958, pp. 311-318.
Repertorio de grabados españoles en la Biblioteca Nacional (de Madrid), III. Madrid, 1983.

PALOMINO, Antonio: *El museo pictórico y escala óptica, III. El parnaso español pintoresco laureado.* Madrid, 1724. Ed. citada. Madrid, 1947.

PALM, Erwin W.: «Ein Vergil von Ribera», *Pantheon,* 33 (1975), pp. 23-27.

PARIS, Mariette: *Le Cabinet d'un grand amateur. P. J. Mariette.* Cabinet des Dessins, Musée du Louvre, 1967.

PARISET, François G.: «Effets de clair-obscur dans l'école lorraine», *Archives Alsaciennes d'Histoire de l'Art,* XIV, 1935, pp. 231-248.

PÉREZ SÁNCHEZ, Alfonso E.: *Los Ribera de Osuna.* Sevilla, 1978.

PETRUCCI, Alfredo: *Catalogo generale delle stampe tratte dai rami incisi posseduti dalla Calcografia Nazionale.* Roma, 1952.

POSNER, Donald: *Annibale Carracci, A Study in the Reform of Italian Painting Around 1590.* Londres, 1971.

RICE, Eugene F. Jr.: *Saint Jerome in the Renaissance.* Baltimore y Londres, 1985.

ROBERT-DUMESNIL, A.-P.-F.: *Le peintre-graveur français ou catalogue raisonné des estampes gravées par les peintres et les dessinateurs de l'école française, V.* París, 1841.

RODRÍGUEZ MOÑINO, Antonio: *Principios para estudiar el noblísimo y real arte de la pintura de José García Hidalgo,* Madrid, 1603. Ed. cit. Madrid, 1965.

SALTILLO, Marqués del: «Pinturas de Ribera», *Archivo Español de Arte,* XIV, 1940-1941, pp. 246-247.

SCHNAPPER, Antoine: «Les académies peintes et le Christ en Croix de David», *Revue du Louvre,* 24 (1974), pp. 381-392.

SOPHER, Marcus S.: *Seventeenth Century Italian Prints.* Stanford, 1978.

SPEAR, Richard E.: *Domenichino.* New Haven y Londres, 1982.
«Notes on Naples in the Seicento». *Storia dell'Arte,* 47 (1983), pp. 127-137.

SPIKE, John T.: «An Early Drawing by Salvator Rosa, datable to 1639». *Burlington Magazine,* 124 (1982), pp. 322-325.

SPINOSA, Nicola: *La obra pictórica completa de Ribera.* Milán, 1978 y Barcelona, 1979.

STECHOW, Wolfgang: «A note on *The Poet* by Ribera», *Allen Memorial Art Museum Bulletin,* XIV, n.º 2, 1957, pp. 69-72.

STEPANEK, Pavel: «Difusión del grabado de Jusepe de Ribera en Bohemia, en el año 1680». *Archivo Español de Arte,* 57 (1984), pp. 321-333.

TRAPIER, Elizabeth du G.: *Ribera.* Hispanic Society of America. Nueva York, 1952.

VALENTINER, William R.: «An Erroneous Callot Attribution», *Art in America,* XX, n.º 3, 1932, pp. 114-121.

VITZTHUN, Walter: «Disegni inediti di Ribera», *Arte Illustrata,* IV, enero-febrero, 1971, pp. 74-84.

WEIGERT, Roger-Armand: «Le commerce de la gravure au XVIIe siècle en France. Les deux premiers Mariette», *Gazette des Beaux Arts,* XLI, 1953, pp. 167-188.

WESSELY, J. E.: «Supplemente zu den Handbüchern der Kupferstichkunde», *Repertorium für Kunstwissenschaft,* V, 1882, pp. 42-62.

WETHEY, Harold E.: *Alonso Cano.* Princeton, 1955.

WOERMANN, Karl: «Jusepe de Ribera», *Zeitschrift für Bildende Kunst,* nuevas series, I, 1890, pp. 141-150, 177-184.